LES
COLOMBES
DU
Roi-Soleil

© Éditions Flammarion, 2005
© Éditions Flammarion pour la présente édition, 2010
87, quai Panhard-et-Levassor – 75647 Paris Cedex 13
ISBN : 978-2-0812-2849-8

ANNE-MARIE DESPLAT-DUC

LES COLOMBES DU
Roi-Soleil

LE SECRET DE LOUISE

Flammarion

CHAPITRE

1

Je m'appelle Louise de Maisonblanche, j'ai seize ans.

Je suis pensionnaire à la Maison Royale de Saint-Louis à Saint-Cyr[1], sise à une lieue de Versailles. Mme de Maintenon a fondé cette institution pour instruire deux cent cinquante jeunes filles nobles dont les parents se sont ruinés au service du Roi. Toutes les provinces de France sont représentées. Mon amie Jeanne est originaire du Périgord, Hortense de Bretagne, Isabeau vient du Languedoc et Charlotte du Vivarais. Cette dernière a été accueillie

1. La maison d'éducation de Saint-Cyr prit le nom de Maison Royale d'Éducation de Saint-Louis en l'honneur du Roi. On l'appelle donc indistinctement maison de Saint-Cyr (lieu de sa construction) ou Maison de Saint-Louis (nom véritable de l'institution).

à Saint-Cyr pour lui faire oublier son ancienne religion, le calvinisme[1], et conforter sa conversion au sein de l'Église catholique. Mais Charlotte a l'âme rebelle et j'ai vite deviné que cet enfermement loin de sa famille et de son fiancé lui coûterait.

La plupart d'entre nous sommes arrivées à Saint-Cyr entre notre septième et notre douzième année.

Mon cas est un peu différent puisque j'ai fait partie de la quinzaine de fillettes que Mme de Maintenon hébergeait dans le premier établissement ouvert à Rueil en 1682. Je ne me souviens pas avoir connu la tendresse des bras d'une mère, ni l'autorité d'un père.

Je me revois en train de garder des oies et des cochons dans une campagne lointaine et pluvieuse chez un fermier qui me battait lorsqu'il revenait saoul du marché. Sa femme et ses sept enfants étaient tout aussi à plaindre que moi. Nous ne mangions pas tous les jours à notre faim et l'hiver nous avions froid. Avec Joseph, mon frère de lait, nous courions la forêt pour marauder du bois mort. À l'automne nous cueillions en cachette quelques girolles, parfois des bolets en nous cachant des gardes du seigneur du lieu. S'ils nous avaient surpris, ç'aurait été le fouet et peut-être même la prison. Mais, lorsque la neige recouvrait la campagne,

1. On appelle aussi les pratiquants de la religion de Calvin les huguenots, les protestants ou les adeptes de la RPR (religion prétendue réformée).

nous nous blottissions autour de la cheminée où se consumait trop rapidement une maigre bûche en grignotant quelques châtaignes ou en buvant une soupe d'herbes qui nous donnait l'illusion d'avoir l'estomac plein.

Je m'entendais bien avec Joseph et nous n'étions pas les derniers pour faire des bêtises, voler les pommes dans les vergers, grappiller les épis d'avoine tombés des charrues après la moisson ou nous battre à coups de boules de neige pour nous réchauffer.

Parfois je pense à lui. J'aimerais bien savoir ce qu'il est devenu. Est-il seulement encore en vie ?

Un hiver, Marguerite à peine âgée d'un an et Gus qui avait un an de moins que Joseph n'ont pas résisté au froid et à la faim et ils sont morts d'une fièvre tierce. Celle que j'appelais maman pleura et gémit trois jours durant.

Elle m'avait souvent répété qu'elle n'était point ma mère, mais comme je n'en avais pas, je pensais naïvement qu'en l'appelant ainsi, elle le deviendrait. Car même si elle ne prodiguait guère de tendresse à ses enfants, elle les aimait.

Tous les six mois environ, une belle jeune femme nous rendait visite les bras chargés de victuailles. Elle m'intimidait et me fascinait.

La nourrice me poussait dans le dos en m'ordonnant :

— Louise, va embrasser ta mère.

Je ne croyais pas que cette femme fût ma mère. Elle était trop bien habillée, coiffée et fardée, et son parfum musqué me tournait un peu la tête. Pourquoi aurais-je eu une mère si belle alors que j'étais si misérable ?

Je m'approchais, gauche et timide, les yeux écarquillés d'admiration. Elle ne m'embrassait pas, passait simplement un doigt ganté sur ma joue, mais je me souviens l'avoir entendue dire :

— Pauvre enfant, vous n'êtes pas née sous une bonne étoile... et pourtant !

J'ai longtemps imaginé qu'une méchante sorcière m'avait jeté un sort pour que je croupisse dans ce lieu infâme et que la belle dame était une sorte de fée qui, tôt ou tard, viendrait me délivrer. Dans les moments les plus durs, je me réconfortais en me disant qu'un jour cette « mauvaise étoile » deviendrait enfin une « bonne étoile » et que j'irais rejoindre ma fée.

Sans nul doute, ce rêve m'a aidée à vivre.

Après le départ de la belle jeune femme, le mari de la nourrice se moquait de moi. Il plongeait dans un simulacre de révérence, m'appelait « Princesse » et m'ordonnait d'aller curer la fosse à purin, ou d'exécuter d'autres tâches tout aussi ingrates. Il me regardait faire en se tenant les côtes de rire.

Et puis, un matin, un carrosse s'est arrêté dans la cour, faisant caqueter les poules affolées et bousculant le cochon qui se vautrait dans la boue. J'ai immédiatement pensé que ma fée venait me chercher.

Ce n'était point elle.

Un homme est descendu de la voiture, a tendu une lettre et une bourse au fermier et, en quelques minutes, j'ai quitté l'endroit où j'avais vécu sept ans. Je dis « l'endroit », parce que, encore aujourd'hui, je n'ai aucune idée du lieu où se sont déroulées les premières années de ma vie. Mon départ ne provoqua aucune émotion chez ma nourrice et son mari, quelques larmes de Fanchon et de Lisette, les plus jeunes.

Joseph me tendit la main et me dit :

— Au revoir, Louise, et que Dieu te garde. Pense à moi de temps en temps.

— Je ne t'oublierai pas, lui répondis-je.

Je ne l'ai pas oublié... je ne sais tout simplement pas où le chercher pour lui donner de mes nouvelles et avoir des siennes.

Après une journée entière de voiture où l'homme assis à côté de moi ne m'adressa pas la parole, nous arrivâmes aux premières maisons d'une ville. Je n'avais jamais quitté la masure de ma nourrice et tout ce que je voyais par la fenêtre me parut merveilleux.

Le carrosse s'arrêta enfin dans la cour d'une grande bâtisse blanche. Je fus immédiatement conduite dans un salon où, bien que nous fussions au printemps, la cheminée était allumée. Une femme richement vêtue était assise dans un fauteuil. Déçue, je constatai que ce n'était point la jeune femme qui me visitait chez ma nourrice. Celle-ci était beaucoup plus âgée, bien qu'une somptueuse robe de moire bleue au corsage orné de fines dentelles lui donnât fière allure. Lorsqu'elle me vit, elle leva les yeux au ciel et s'exclama :

— Dieu que vous êtes sale !

Je baissai la tête, honteuse de me présenter ainsi dans cette pièce où tout respirait le luxe. J'avais mille questions à poser, mais, évidemment, je me tus, d'autant que je m'exprimais fort mal en français. Je ne parlais alors que le patois.

Bientôt, une autre femme entra et s'entretint avec la première un long moment. Elle saisit mon visage entre son pouce et son index et, le tournant vers la dame assise dans le fauteuil, lui fit admirer mes yeux. Cette dernière opina du chef et ajouta :

— Oui, vous avez raison, ce sont ses yeux.

Après quoi, on me conduisit dans une pièce où un baquet de bois recouvert d'un linge blanc et rempli d'eau chaude m'attendait. Une jeune fille me lava en m'apprenant sur-le-champ des mots de français : « eau », « baquet », « drap ».

Depuis, j'ai assisté à de nombreuses arrivées comme la mienne et j'ai souvent aidé nos maîtresses à laver les petites débarquées de leur province. Je le fais toujours avec plaisir, en me remémorant mon premier jour dans l'institution de Mme de Maintenon.

Je me liai immédiatement d'amitié avec Jeanne de Montesquiou. Nous avions le même âge et des lits contigus dans la vaste chambre où s'alignaient les vingt lits des plus jeunes. Elle venait de Gascogne. Son père, mousquetaire, était mort au service du Roi, son frère avait intégré la compagnie des cadets et sa mère avait sollicité pour sa fille une place à Rueil. Au début, l'éloignement de sa famille et de sa province lui arrachait des sanglots. Je la consolais de mon mieux. Contrairement à beaucoup de mes camarades, je me sentis immédiatement bien à Rueil. Hormis l'amitié de Joseph, je n'avais rien à regretter. Je mangeais à ma faim, je n'avais plus ni froid ni peur, j'étais propre, vêtue de beaux linges, je dormais dans des draps blancs et, en plus, on m'apprenait à compter, à lire, à écrire en français.

À cette époque, jamais je ne me suis demandé pourquoi j'avais été choisie pour bénéficier de tout ce bien-être. Je pensais simplement que la bonne étoile dont m'avait parlé la belle dame brillait enfin pour moi.

Il me semblait que Mme de Maintenon, qui dirigeait notre maison, éprouvait pour ma modeste personne un peu d'affection. Elle prodiguait ses conseils à toutes, mais de temps en temps elle me caressait les cheveux ou la joue, gestes dont elle était avare pour mes compagnes.

Nous ne restâmes que deux ans à Rueil. Lorsque j'y entrai, nous étions une quinzaine, mais petit à petit le chiffre atteignit soixante et la maison s'avéra trop exiguë.

Le déménagement à Noisy reste un souvenir inoubliable. Il se fit en grand train d'équipages et nous nous sommes toutes prises pendant quelques instants pour de véritables marquises. Le Roi nous avait prêté ses carrosses et nous étions escortées par les suisses de sa garde. Des charrettes transportaient nos effets, dont de gros meubles de bois que le Roi nous avait offerts.

Pendant les deux lieues du trajet, les paysans, étonnés devant notre caravane mais reconnaissant les écussons royaux sur nos carrosses, ôtaient leur chapeau et criaient : « Vive le Roi ! » — ce qui nous mettait au comble du bonheur. Les plus hardies d'entre nous passaient la main par l'ouverture de la portière et saluaient comme si elles avaient été des princesses. Heureusement, Mme de Maintenon et Mme de Brinon, la supérieure, ne les aperçurent pas. Cette attitude, si peu humble, aurait attiré leur colère sur les friponnes.

Nous franchîmes les trois portiques ouverts dans les murs de pierre artistiquement ouvragée délimitant trois cours successives et nous découvrîmes le château. Il n'était pas très vaste, pourtant il m'éblouit. J'avais du mal à imaginer que c'était dans ce lieu magnifique que j'allais vivre. J'étais plus habituée aux masures qu'aux châteaux.

— Regardez, Jeanne, comme c'est beau ! m'exclamai-je.

— Chez moi, c'est bien plus grand et bien plus beau, soupira mon amie.

— Oh, Jeanne, point de nostalgie ce jour d'hui ! Laissez-moi savourer le plaisir de découvrir un endroit si magnifique.

C'est à Noisy que Mme de Maintenon décida de nous répartir en quatre classes reconnaissables à la couleur du ruban fiché dans nos coiffures et agrémentant notre bustier et notre jupe : rouge pour les petites, vert puis jaune pour les deux classes intermédiaires et bleu pour les plus grandes.

J'obtins des rubans rouges que je trouvais du plus bel effet sur notre robe brune. Et lorsqu'on nous expliqua que nous pouvions gagner d'autres rubans en étant bonne élève, je me promis de faire tous les efforts possibles pour recevoir cette récompense et avoir la robe la plus enrubannée.

Hortense arriva de sa Bretagne l'année de mes onze ans. Elle venait de perdre sa mère et sa sœur du choléra, et son père, ruiné par les guerres, ne pouvait plus assurer sa subsistance. J'appréciais son calme, sa douceur et nous devînmes rapidement amies, d'autant que nous étions toutes les deux dans la classe verte.

Depuis que j'avais quitté la masure de ma nourrice, ma vie me paraissait aussi douce que le miel. Parfois même, ce nouvel état de béatitude m'inquiétait. Chaque jour je remerciais le ciel pour cette sorte de miracle qu'il avait accompli en ma faveur.

Mon plus beau souvenir de Noisy est celui de la visite du Roi un après-dînée[1] de l'été 1685. Il ne s'était pas fait annoncer et s'était arrêté dans notre maison au retour de Marly[2]. Nous étions en récréation dans le jardin.

---

1. Après-midi. À l'époque, on déjeunait le matin, on dînait vers onze heures et on soupait vers six heures du soir. (S'écrit aussi « après-dîner ».)
2. Marly était un château où le Roi aimait à se retirer pour se reposer des fastes de Versailles.

Lorsque Mme de Brinon aperçut le carrosse royal, elle frappa dans ses mains pour nous rassembler.

Voir le Roi, l'approcher, lui faire la révérence était un si grand honneur et un si grand bonheur que nous en étions très excitées.

Le Roi descendait déjà de voiture lorsque Jeanne et moi, qui étions dans le fond du jardin, arrivâmes, essoufflées et un peu échevelées. Est-ce l'émotion ou la précipitation, je ne sais... mais je me pris les pieds dans mon jupon et, au lieu de m'incliner dans une parfaite révérence, je m'écroulai devant le Roi. La honte me rougit le visage. Sa Majesté ne fut pas offusquée par ma maladresse, au contraire, il rit et m'aida à me relever. Je gardai les yeux baissés comme on me l'avait appris. Il me souleva légèrement le menton de sa main gantée et chercha mon regard.

Mme de Brinon, confuse, présenta ses excuses, qu'il balaya d'un geste autoritaire avant de s'enquérir :

— Et qui est cette charmante enfant ?

— Louise de Maisonblanche, sire.

— Ah, souffla-t-il simplement.

Mais l'expression de son visage changea. Je ne sus s'il fallait y lire de la contrariété ou de la compassion.

Précédant les hommes de sa suite, il remonta l'allée de sa démarche ample et majestueuse, remerciant de gracieux sourires mes compagnes qui plongeaient tour à tour dans une révérence impeccable.

2

Noisy se révéla à son tour rapidement trop petit.

Saint-Cyr fut bâti en dix-huit mois et nous y emménageâmes en juillet 1686. Le déménagement de Noisy à Saint-Cyr fut encore plus spectaculaire que le précédent. Nous étions à présent cent vingt-quatre et il y avait encore plus de meubles à entasser dans les charrettes.

Si j'avais aimé Noisy, j'adorai vraiment la Maison Royale de Saint-Louis. Construite spécialement pour nous par Jules Hardouin-Mansart, tout y était plus vaste, plus beau, plus commode. Lorsque nous en franchîmes le seuil, notre étonnement ne connut plus de bornes.

— L'escalier d'honneur est magnifique ! lança Hortense.

— La hauteur des marches a été abaissée à l'intention des élèves des premières classes, fit remarquer une maîtresse.

— Venez voir les dortoirs ! Nous avons un lit chacune avec des rideaux aux couleurs de la classe et un coffre fermant à clef ! m'émerveillai-je.

— Et dans les armoires, notre trousseau ! ajouta Jeanne.

Les six grandes armoires de chaque dortoir furent ouvertes pour nous laisser entrevoir nos ajustements. Jamais je n'avais imaginé posséder autant de chemises, de tabliers et de jupes. Je caressai du bout du doigt les bas blancs, la paire de souliers en veau, ainsi que la coiffe de taffetas.

Notre installation se fit dans la joie.

Par la suite, tous les jours nous découvrîmes de nouveaux motifs de nous réjouir de vivre à Saint-Cyr.

Pour ma part, je m'en découvris un des plus personnel mais qui bouleversa ma vie et, je l'avoue sans fausse modestie, enchanta mes compagnes, les maîtresses, Mme de Maintenon et même Sa Majesté lorsqu'elle nous faisait l'honneur de venir suivre les vêpres dans la chapelle de Saint-Cyr : j'avais une belle voix. « Cristalline et pure », avait jugé M. Nivers, l'organiste du Roi, chargé de nous faire répéter les chants et motets[1] que nous interprétions lors des divers offices. J'étais la seule à pouvoir monter dans les aigus sans que ma voix se casse. C'est Joseph qui me l'avait appris.

Dans ma famille nourricière, notre seule sortie était la messe du dimanche où Joseph chantait avec d'autres garçons du village. Lorsque nous cherchions du bois dans la forêt, que nous menions le cochon à la glandée[2], ou que nous récoltions quelques herbes pour la soupe, il me faisait travailler ma voix en m'affirmant qu'elle était aussi belle que la sienne. Il me montra comment respirer pour que mon souffle soit plus puissant et que le son soit plus rond. Mais seuls les hommes ont le droit de chanter dans les églises et je devais me contenter de chanter dans les bois.

Lorsque je compris qu'à Saint-Cyr, maison uniquement réservée aux demoiselles, je pourrais chanter à la chapelle, je crus atteindre le comble de la félicité.

Je me pliais avec facilité aux exigences de M. Nivers. Toutefois, selon la règle établie à Saint-Cyr, il n'était pas d'usage de mettre en avant une voix, tout exceptionnelle qu'elle fût, et je devais

---

1. Chants religieux que l'on chante à plusieurs voix.
2. Sous les chênes où les cochons peuvent manger les glands.

réduire mes capacités vocales pour me fondre dans le groupe. Cela ne me gênait pas. Je n'avais pas l'ambition de faire carrière dans le chant et, pourvu qu'on me laissât chanter avec les autres, j'étais pleinement heureuse. Pourtant, je dois bien le reconnaître, les compliments de mes compagnes me faisaient chaud au cœur :

— Vrai, Louise, vous avez une voix qui m'arrache des larmes, me dit une fois Hortense.

— Moi qui ne parviens même pas à émettre une note juste, je suis béate d'admiration, renchérit Isabeau.

Quant à Charlotte, elle me fit, un jour, une remarque qui me toucha plus que toutes les autres :

— Ah, Louise, grâce à votre merveilleuse voix, je goûte mieux les offices catholiques.

Isabeau et Charlotte étaient arrivées récemment à Saint-Cyr, mais, étant dans la même classe, nous partagions le même dortoir.

Pourtant, plusieurs événements qui me distinguèrent aux yeux de toutes faillirent mettre en péril cette amitié naissante.

Cela commença lors d'une visite que le Roi nous rendit à Saint-Cyr, à l'automne 1687.

Mme de Brinon, notre supérieure, se prenant pour un grand dramaturge, avait écrit une saynète et mis des paroles sur une musique de Lully[1]. Nous avions répété pendant quinze jours pour que tout soit au point. Je fus choisie avec une quinzaine d'autres compagnes pour interpréter les chœurs. Comme il ne s'agissait pas d'un chant religieux, M. Moreau me proposa de chanter une partie en solo, les chœurs reprenant après moi les quelques vers du refrain : « Qu'il vive ce héros, qu'il triomphe toujours... »

Dès que nos voix se turent, le Roi se leva du fauteuil où il était assis et nous félicita. J'avais avancé d'un pas pour que ma voix porte mieux, comme me l'avait recommandé M. Nivers. Sa Majesté s'approcha alors et me caressa la joue de son doigt ganté. Je crus défaillir. Je m'attendais à ce qu'il accomplisse le même geste pour mes compagnes. Il n'en fit rien.

Lorsque le Roi, les gardes suisses, quelques courtisans et Mme de Maintenon se furent éloignés, j'étais dans un état second proche de la béatitude. Mes compagnes m'assaillirent :

— Oh, Louise quel honneur d'être ainsi remarquée par le Roi ! s'exclama Jeanne.

— C'est normal... vous avez chanté divinement bien ! dit Hortense.

1. Jean-Baptiste Lully, compositeur français d'origine italienne (1632-1687).

— Pour une marque d'attention du Roi, je donnerais n'importe quoi ! affirma Isabeau.

— Voyons, mesdemoiselles, arrêtez ces sornettes ! les tança Mme de Brinon. Et vous, Louise, restez modeste, n'allez pas vous imaginer Dieu sait quoi parce que le Roi a eu la grande bonté de vous marquer un peu d'attention.

— Je ne m'imagine rien du tout, madame, je suis simplement heureuse que ma voix ait touché Sa Majesté, répliquai-je.

— Je me demande même si c'est une bonne idée de cultiver ainsi ce don du ciel... Cela risque de vous rendre vaniteuse et c'est contraire à l'éducation que nous souhaitons vous donner. J'en parlerai à Madame.

— Oh, non, je vous en prie ! Chanter est ma seule joie.

— Votre seule joie devrait être l'instruction et la prière, me rétorqua sèchement Mme de Brinon.

Je craignis que me fût ôté ce grand bonheur. Mais Mme de Brinon n'était pas une méchante femme. Elle goûtait fort le théâtre. Je gage que son rêve secret était de jouer elle-même sur une scène. Aussi, elle comprit ma passion et n'eut pas le cœur de m'en priver. Je pus donc parfaire mon apprentissage du chant et de la musique.

Bien que cet événement restât gravé pour toujours en moi, je feignis de l'oublier pour mener la vie ordinaire des demoiselles de Saint-Cyr.

La réalité me rattrapa.

J'avais été choisie pour chanter dans les chœurs que M. Racine avait inclus dans sa comédie-sainte d'*Esther*[1].

Lors de la première représentation, le Roi et une centaine de courtisans se tenaient dans la salle, où une scène avait été dressée. Je mis tout mon cœur et tout mon talent afin qu'aucune fausse note n'entachât cette merveilleuse pièce. Malgré l'angoisse qui m'avait fait craindre un instant qu'aucun son ne franchît ma gorge, j'avais bien chanté aux dires de mes compagnes et de M. Racine, qui m'avait octroyé un demi-sourire satisfait. J'espérais, grâce à ma modeste participation, que le Roi avait pris du plaisir à nous écouter...

C'est là que l'incroyable se produisit.

Le Roi s'était approché de moi et m'avait personnellement félicitée en me disant de sa voix grave et majestueuse :

— Vous avez une voix fort émouvante, mademoiselle.

C'en était trop, et sans la présence d'Isabeau, qui me soutint discrètement, j'aurais défailli.

De ce jour, je commençai à m'interroger. Pourquoi le Roi me manifestait-il, à moi particulièrement, sa mansuétude, alors que, contrairement à

1. Voir le tome 1, *Les Comédiennes de monsieur Racine*.

mes compagnes, je ne suis pas fille de noble, mais simple paysanne ?

Les plus folles suppositions m'assaillaient la nuit, lorsque, dans l'obscurité du dortoir, je ne parvenais pas à trouver le sommeil. Parfois, elles étaient idylliques : étais-je la fille d'une noble dame ? Celle qui venait me visiter chez ma nourrice ? Et qui était cette noble dame ? Une duchesse, une baronne, une princesse ? Quelqu'un de la famille royale ? Cette hypothèse saugrenue me faisait rougir. Comment osais-je imaginer avoir une goutte de sang royal alors que je venais du ruisseau ? La folie me guettait.

Parfois mes rêves viraient au cauchemar : le Roi ne m'avait remarquée que pour me marier à un vieux courtisan bossu.

Les représentations d'*Esther* me changèrent un peu les idées sans toutefois ramener le calme dans mon esprit. Mes compagnes, tout occupées à réviser leur texte, à soigner leur tenue et à contrôler l'angoisse qui les faisait trembler avant de monter sur scène, ne s'aperçurent pas de mon trouble. Enfin, je le crois.

Je tremblais deux fois plus qu'elles. D'une part, je craignais de décevoir le Roi si je n'étais point parfaite or je voulais de toute mon âme le satisfaire. D'autre part, j'appréhendais qu'il me distinguât encore par une marque de faveur qui me mettrait mal à l'aise et m'attirerait à coup sûr les questions de mes compagnes. Je souhaitais ardemment sentir son doigt sur ma joue et je le redoutais tout autant.

Ma vie, qui avait été sereine, se transformait depuis peu en un véritable tourment.

Et ce qui devait arriver arriva : je tombai malade. La gorge me brûlait et la fièvre me consumait. Je fus envoyée à l'infirmerie. Ma gorge en feu me faisait craindre de ne plus pouvoir chanter.

Un matin, une main fraîche posée sur mon front me réveilla. « C'est lui, c'est le Roi » pensai-je. Ce n'était point Sa Majesté, mais Mme de Maintenon. Elle avait un visage anxieux et je souris aussitôt pour la remercier de sa sollicitude. Elle échangea quelques paroles avec l'infirmière. Nous étions trois ou quatre alitées à tousser et à geindre, mais il me sembla bien que c'était de ma santé qu'elle s'inquiétait le plus, ce qui ne fut pas pour me rassurer.

Je me souviens m'être dit que j'allais mourir. Je m'entendis même chanter le requiem de mon enterrement.

Le lendemain, une voix masculine me tira de ma torpeur. « Cette fois, c'est lui, c'est le Roi ! », m'assura mon cerveau malmené par la fièvre. Je me trompais. C'était un médecin. Le médecin de Sa Majesté, M. Fagor, comme il me l'apprit. Il me tâta le pouls, m'examina le blanc des yeux, me fit tirer la langue et me saigna[1].

Lorsque Isabeau me rendit visite, je ne pus m'empêcher de lui dire :

— Le médecin de Sa Majesté est venu m'examiner. C'est curieux n'est-ce pas ? Pourquoi s'intéresse-t-il à ma si modeste personne ?

Soudain, une idée me traversa l'esprit et, au comble de l'anxiété, je saisis la main d'Isabeau :

— Oh ! si c'est pour me marier à un vieux baron bossu et estropié, je préfère mourir tout de suite.

Je vis Isabeau bien en peine. Elle me tamponna le visage d'un linge humide, mais ne me démentit pas. J'en conclus que j'avais raison et l'agitation me gagna, augmentant ma fièvre :

— Calmez-vous, Louise, me conseilla mon amie.

Je ne le pouvais pas et, en pleurs, je marmonnai :

— Non, plutôt mourir !

Isabeau hésita, se tourna pour voir si elle ne pouvait point être entendue, puis inclinant le buste vers ma couche, elle me chuchota à l'oreille :

— Louise... j'ai quelque chose à vous dire... Il me semble que le moment est venu de vous apprendre que...

---

1. À cette époque, on saignait les malades pour faire tomber la fièvre : on leur prélevait un peu de sang.

Elle ne termina pas sa phrase, hésitant à poursuivre. Cela m'inquiéta et je l'interrogeai d'une voix tremblante :

— Est-ce si grave que vous preniez tant de précautions ?

Elle s'arma de courage, puis lâcha tout à trac :

— Le Roi s'intéresse à vous parce que vous êtes... sa fille.

Ma main se crispa sur le drap, l'air me manqua et j'eus la sensation que j'allais étouffer. Isabeau s'affola :

— Louise, Louise, remettez-vous !

Toutefois, elle parlait bas pour ne pas alerter l'infirmière qui s'occupait un peu plus loin d'une autre fillette qui toussait à s'arracher les poumons.

J'avais l'impression de sortir d'un affreux cauchemar et de voir enfin une clarté au bout d'un tunnel sombre et sans fin. Pour me persuader d'avoir bien entendu, je répétai d'une voix monocorde :

— Sa fille ? Sa fille ? Mais... comment le savez-vous ?

— C'est Marguerite de Caylus[1] qui nous en a informées. Elle le tient de Mme de Brinon qui l'a appris de Mme de Maintenon.

---

1. Marguerite de Caylus, mariée très jeune, était la nièce de Mme de Maintenon. Elle a joué un rôle dans *Esther* et venait souvent à Saint-Cyr.

— Ce n'est pas possible... Vous devez faire erreur...

— Non, Louise, vous êtes fille de roi.

Une minute de silence me fut nécessaire pour que ma respiration retrouve un rythme normal. Un sourire se dessina presque malgré moi sur mes lèvres et je repris :

— Ainsi ses signes d'affection, l'attention discrète qu'il me porte depuis toujours... ce serait cela... Le Roi serait mon... Oh, non, je n'ose y croire !

— Je conçois que cela vous fasse un choc, mais c'est la vérité.

— En êtes-vous bien certaine ? Il serait trop cruel pour moi d'imaginer cela et d'apprendre par la suite que tout n'est que menteries.

— Mme de Caylus a été formelle.

— Je suis donc la fille de... Mais pourquoi donc le Roi me cache-t-il aux yeux de tous ?

— Je l'ignore. Cependant, on ne va pas contre la volonté de Sa Majesté. Il a ses raisons que nous n'avons point à juger.

— Lorsque j'étais en nourrice, une femme jeune et belle venait parfois me rendre visite. C'était ma mère sans doute. J'aimerais tant la revoir.

À ce moment-là, l'infirmière s'approcha de mon lit et dit à Isabeau :

— Il est temps de laisser Louise se reposer et pour vous, il est l'heure de regagner votre classe.

— Je... je partais, bredouilla Isabeau.

Elle se pencha vers moi et chuchota contre ma joue :

— Il est préférable que personne ne soit au courant.

Je lui serrai la main pour l'assurer de ma discrétion et elle quitta la pièce. L'infirmière me prit le pouls et s'étonna :

— Eh bien, Louise, la fièvre a diminué. Il semble que la visite de votre amie vous ait fait grand bien !

Je lui souris :

— Oui. Je me sens renaître à la vie et je vais me battre pour guérir.

Je complétai pour moi seule : pour qu'Il ne soit pas triste par ma faute et pour m'appliquer à Lui faire honneur.

CHAPITRE

3

Ma santé se méliora[1] rapidement. Mme de Maintenon loua ma forte constitution et me félicita pour avoir triomphé de la maladie. J'avais entendu dire que le Roi était de santé robuste et j'étais fière que nous ayons ce point commun. Je me retins pour ne pas en faire la remarque à Mme de Maintenon.

En fait, j'étais partagée entre deux sentiments : l'envie que tout le monde sache que mon père surpassait en noblesse la plus noble des filles admises dans cette maison afin de me revancher[2] sur ces années sombres où je m'étais imaginé être une fille

1. Se disait alors pour « s'améliorer ».
2. Se venger, prendre sa revanche.

de rien et le désir de garder le secret de ma naissance, comme je m'y étais engagée. Je ne souhaitais qu'une chose : que mon visage ne parût pas trop rayonnant de bonheur, ce qui n'aurait pas manqué de m'attirer les questions des unes et des autres.

Deux des fillettes alitées avec moi n'eurent pas ma chance et, malgré les soins de l'infirmière et les breuvages préparés par l'apothicairesse[1] avec les plantes cultivées dans le jardin, la fièvre les emporta. Mme de Maintenon pesta contre l'humidité des bâtiments construits sur des marais que l'architecte n'avait pas pris la peine d'assécher afin d'avancer plus rapidement la construction. La tristesse de la perte de deux compagnes vint ternir la joie des révélations d'Isabeau, d'autant que ma gorge fragilisée ne me permit pas de chanter lors de leurs funérailles.

Je retrouvai avec plaisir mes amies Isabeau, Hortense, Charlotte et Jeanne encore tout auréolées de la gloire d'avoir interprété *Esther* devant deux rois, des reines, des princesses et des grands de la Cour.

Pourtant l'atmosphère n'était plus la même. *Esther* avait bousculé la vie de Charlotte et d'Hortense. La première ne rêvait que de fuir Saint-Cyr

---

1. Religieuse qui s'occupait de l'apothicairerie, comme on appelait la pharmacie des couvents, des communautés telles que la Maison Royale de Saint-Louis.

pour goûter aux plaisirs de Versailles et revoir François, son fiancé. La deuxième, qui avait rencontré Simon parmi les spectateurs, hésitait encore entre cet amour inattendu et l'existence monacale à laquelle elle se croyait destinée[1].

Quant à moi, depuis que je connaissais l'identité de mon père, il me semblait impensable de ne pas savoir qui était ma mère. J'avais beau chercher dans ma mémoire, l'image de son visage s'était effacée. Il ne me restait d'elle qu'un parfum musqué qui, enfant, m'avait marquée tant il différait des odeurs de la ferme.

Lors des premières représentations d'*Esther*, alors que certains spectateurs étaient venus nous féliciter à la suite du Roi, j'avais cru reconnaître ce parfum. Mais une fois c'était un barbon boiteux qui le portait et, une autre fois, une vieille marquise, or je ne pense pas que ma mère ait aujourd'hui beaucoup plus de quarante ans.

— Avez-vous une piste pour retrouver votre mère ? me demanda Isabeau un soir où nous bavardions cachées sous les draps de nos lits.

— Aucune. J'ai le vague souvenir d'un parfum...

— C'est bien peu.

— La seule qui pourrait peut-être vous aider est Mme de Maintenon, intervint Charlotte. Mais si elle

---

1. Voir le tome 1, *Les Comédiennes de monsieur Racine*.

ne vous a rien dit jusqu'à ce jour, c'est qu'elle veut garder le secret. Et comment le lui arracher ?

Aucune de nous n'avait de réponse. Isabeau enchaîna :

— Ah, Louise, je ne sais si nous devons vous envier ou vous plaindre !

— L'envier, pour sûr ! s'exclama Hortense, tirée un instant de sa rêverie.

— Oh, non, ma chère amie... Être la fille cachée d'un roi qui vous marque quelque attention sans toutefois vous reconnaître au grand jour et ignorer tout de sa mère est la pire des situations.

— Certes, mais vous avez du sang royal... et être allongée dans le même lit que vous... est inimaginable.

— Voyons, Hortense, je vous ai déjà assurée que cela ne changeait rien entre nous.

— Je ne m'y résous pas.

Je soupirai. J'aurais préféré avoir un père qui soit seulement baron ou duc, mais de qui je porte le nom, plutôt que ce père royal qui faisait de moi une bâtarde.

4

Pour sûr, cette révélation transforma ma vie. J'avais à présent deux buts : celui de retrouver ma mère et celui d'être reconnue par le Roi. Ma voix devait me permettre d'atteindre le second. M. Nivers, qui nous enseignait le chant, s'étonna de mes progrès.

À dire vrai, je visais à grimper au-delà du contre-ut en enchaînant le plus de notes possible avec des ornements inventifs comme le font les meilleurs castrats. J'avais une voix de soprano et j'espérais qu'à force de la travailler, j'atteindrais l'agilité vocale qui me ferait remarquer.

Je regrettais de n'être point née de sexe masculin. Les hommes, avant leur puberté, avaient toutes les facilités pour apprendre à bien chanter et toutes les portes s'ouvraient à eux pour peu que leur voix fût aiguë et puissante. Ils avaient la grande chance d'être engagés dans la Musique de la Chapelle réservée à la liturgie royale, ce qu'aucune femme ne pouvait faire, mais ils pouvaient aussi entrer dans la Musique de la Chambre pour y interpréter opéras, ballets et concerts, ou encore dans la Musique de la Grande Écurie, réservée aux cérémonies extérieures comme les chasses, les cortèges, les parades militaires.

Il y avait bien quelques femmes dans la Musique de la Chambre, mais elles étaient rares. Je devais en faire partie. C'était l'unique moyen d'approcher le Roi... enfin, mon père.

Oh, que ce dernier mot était difficile à prononcer... et pourtant, il était si doux... Souvent, je le répétais le soir dans mon lit et je m'endormais en rêvant de lui. Certes, j'avais parfaitement compris que ce père ne jouerait jamais vraiment son rôle auprès de moi, mais savoir qu'il existait, que je pouvais le voir, lui sourire et peut-être obtenir de lui la faveur d'un regard bienveillant, me satisfaisait.

Satisfaite, je ne l'étais finalement point tout à fait. Ne pas connaître ma mère me rongeait, et des dizaines de questions se bousculaient dans mon esprit. Qui était-elle ? Quelle était cette femme qui avait succombé aux charmes du Roi ? Était-elle déjà mariée et m'avait-elle abandonnée pour éviter un scandale ? Était-ce au contraire une toute jeune demoiselle d'honneur de la Reine enfermée à présent dans un couvent pour se repentir de sa faute ? Était-ce une servante renvoyée par la suite ?

Bien que la pudeur nous interdît ce genre de sujet de conversation, Charlotte, la plus délurée d'entre nous, nous apprit un soir que le Roi aimait les femmes et qu'il ne dédaignait ni les servantes ni les bergères si elles étaient avenantes et peu farouches. Cette révélation m'avait choquée, mais Charlotte avait ajouté :

— Certaines femmes sont prêtes à toutes les turpitudes pour être distinguées par le Roi.

— Sans doute, mais il paraît que le Roi est la galanterie même et que jamais il ne prendrait de force une demoiselle récalcitrante, avait assuré Isabeau.

— Il a bien assez de toutes celles qui se jettent dans son lit, avait ironisé Charlotte.

Ainsi mon père n'avait pas abusé de son autorité pour séduire ma mère et cela était rassurant. Par contre, ma mère s'était-elle livrée à « toutes les turpitudes » pour entrer dans le lit royal ? J'espérais que non et qu'elle n'avait, tout simplement, pas pu résister au charisme du souverain. Seize ans après ma venue au monde, il avait encore fière allure avec sa perruque poudrée et sa fine moustache... Et nous tremblions toutes d'angoisse et de bonheur lorsqu'il nous faisait l'honneur de venir à la Maison Royale de Saint-Louis.

Mais pourquoi donc ne m'avait-Il pas reconnue ?

Il avait bien légitimé les enfants de Mme de La Vallière et ceux de Mme de Montespan. Pourquoi n'avais-je pas eu droit à cette faveur ? Ma mère n'était-elle donc pas assez bien née ? Leur liaison avait-elle été trop brève ? Ma mère avait-elle trahi la confiance du Roi ?

Je n'en finissais pas de m'interroger. Et comment obtenir une réponse à ces questions, enfermée entre les murs de Saint-Cyr ?

J'étais persuadée que je devais en sortir et que seul le chant pouvait m'y aider.

Je m'appliquais de mon mieux à exécuter les exercices de respiration et les gammes recommandés par M. de Nivers. Mais nous étions trop nombreuses et il lui était impossible de corriger les défauts des unes et des autres et de conseiller chacune en particulier. Sa seule mission était que les motets que nous interprétions aux offices soient de bonne tenue.

Pour la plupart de mes compagnes, le chant n'était qu'un divertissement qui les sortait du mutisme où les maîtresses nous contraignaient. Pour certaines, c'était même une source d'ennui.

Une nuit que nous bavardions comme à l'accoutumée, Charlotte s'était plainte :

— Apprendre les notes a été un supplice et les chanter en est un autre. Sans compter que tous ces chants religieux sont d'une platitude désolante !

— Oh, Charlotte, avait répliqué Hortense, il n'y a rien de plus beau que d'interpréter le *Domine Salvum Fac Regem* aux vêpres !

— Je ne conçois la musique que pour la danse, avait insisté Charlotte.

— La danse est une activité par trop frivole, avait alors repris Isabeau.

— Je rêve de frivolité ! Tout est si rigide à Saint-Cyr... Plus que quelques jours de patience.

Sa phrase nous avait étonnées. Que voulait-elle dire ? Elle nous l'avait expliqué sans détour :

— Le Roi donne bientôt un grand bal à Versailles. J'y serai. Marguerite de Caylus m'a promis son aide pour fuir cette prison.

— Notre maison n'est point une prison, s'était indignée Isabeau, et si vous en sortez, vous n'aurez point la dot du Roi et vous vous retrouverez à la rue sans rien.

— Cela m'indiffère. Tout vaut mieux que de vivre entre ces murs. J'ai trop besoin de liberté.

Afin que la conversation ne s'envenime pas, j'avais conclu :

— J'aimerais aussi jouer au violon quelques airs à danser, mais il est vrai qu'à Saint-Cyr, on ne nous en enseigne pas.

Cela avait fait sourire mes compagnes et la tension était tombée.

En plus des cours de chant, j'avais eu le privilège d'apprendre le violon avec plusieurs demoiselles de la classe jaune particulièrement douées pour cet instrument.

Mme de Maintenon, qui avait remarqué ma voix, m'avait encouragée dans cette direction en m'assurant « qu'une demoiselle ne gâche ni sa vertu ni sa foi en interprétant joliment des motets et des morceaux choisis pour divertir agréablement son entourage ». Elle avait même ajouté : « Les anges jouent bien de la harpe et de la flûte pour le plaisir des âmes qui sont en Paradis. »

Cependant, il était hors de question que j'eusse un régime de faveur et que l'on m'attribuât un professeur particulier.

Qui étais-je donc pour mériter cet avantage ?

Personne.

Seulement la fille secrète du Roi. Celle qu'il cache. Celle dont il a honte. Celle qu'il veut oublier.

Mais aussi celle qui veut mériter son attention.

Comment espérer attirer l'attention du Roi en n'étant point remarquable ?

Je faisais tous les efforts possibles pour me méliorer. Mais nous n'avions pas le droit de chanter en dehors des heures prévues à cet effet, pas le droit de chanter pendant les récréations, pas le droit de chanter le soir dans le dortoir. Ma voix stagnait et j'en pleurais, le visage caché sous l'oreiller.

Y avait-il une solution à ce problème qui me minait ?

Je n'en voyais aucune, d'autant que, depuis plusieurs mois, le Roi n'était plus apparu à Saint-Cyr.

Un soir, n'y tenant plus, je libérai mon cœur auprès d'Isabeau dont le lit jouxtait le mien.

— Il y a fort longtemps que le Roi ne nous a point rendu visite.

— Ah ? Quelques semaines tout au plus.

— Non, il y a trois mois et douze jours.

— Mon amie, s'inquiéta Isabeau, il vous manque tant que cela ?

— Oui. Le voir est mon plus grand bonheur.

— Je vous comprends. Moi aussi, j'aimerais revoir mon père... mais il est si loin.

J'avais commis une indélicatesse dont je n'étais pas fière. Effectivement, je me plaignais de ne point voir mon père alors que toutes les demoiselles de notre maison étaient séparées de leur famille depuis de longues années déjà. Je ne savais comment réparer ma bévue et maladroitement j'enchaînai :

— J'espère... j'espère que, lors des dernières vêpres auxquelles il a assisté, ma prestation ne l'a pas déçu au point de... de ne plus souhaiter m'entendre.

— Voyons, Louise, me gronda Isabeau, vous péchez par orgueil. Pensez-vous sincèrement qu'une fausse note puisse ôter au Roi l'envie de venir à Saint-Cyr ?

— Je vous demande pardon.

Isabeau sortit une main de dessous le drap et la posa sur la mienne. Ce geste amical me réconforta. Elle poursuivit :

— Peut-être est-il souffrant ?

J'avais, moi aussi, envisagé cette hypothèse, mais elle ne tenait pas et je lui répondis :

— Je ne le pense pas, sinon nous aurions prié pour sa guérison à la chapelle.

— C'est juste. Par contre, nous avons prié pour la victoire de nos troupes qui guerroient dans le Hainaut contre Guillaume d'Orange. Le Roi est sans doute parti pour assister à un siège. On dit que c'est un de ses grands plaisirs.

— Vous avez raison. Le Roi est à la guerre... La Musique des Écuries doit l'accompagner... Oh ! comme j'aurais aimé en être ! J'aurais mis tout mon cœur à chanter pour lui. Ma voix aurait vibré pour interpréter ses louanges et se serait faite douce pour chasser sa fatigue.

Isabeau me serra la main et m'encouragea :

— Votre voix acquiert jour après jour de la puissance et de la grâce... et vous nous arrachez souvent des larmes, tant l'émotion qui vous irradie est forte. J'ai vu, à plusieurs reprises, Mme de Maintenon s'essuyer les yeux de son mouchoir.

— C'est vrai ? Vous pensez donc que j'ai... un peu de talent ?

— Tout le monde ici en est persuadé. Et je suis certaine que le Roi lui-même le pense.

Je rougis. Je balançais entre la tristesse de ne point l'avoir vu depuis longtemps et la joie d'apprendre qu'il reconnaissait mon talent. Enfin, c'est ce que m'affirmait Isabeau. Je ne demandais qu'à la croire et mon désarroi était tel que je la crus. Alors un cri de désespoir m'échappa :

— Comment montrer ce talent en restant à Saint-Cyr ?

— Chut ! me gronda encore Isabeau, vous allez réveiller tout le dortoir.

Elle ajouta à voix basse :

— Chanter les louanges du Créateur au sein d'une église est la plus belle des choses. C'est Lui qui vous a fait cadeau de cette voix divine, c'est à Lui seul que vous devez la consacrer.

Je ne répondis pas pour ne pas la peiner, mais je ne partageais pas du tout cette idée.

Je prenais bien cette voix comme un don du Créateur, mais elle devait m'aider à gagner ma place dans la société. À redevenir la fille de mon père, à retrouver ma mère... Et si en plus elle pouvait procurer du bonheur à ceux qui m'écoutaient, ma vie serait comblée.

CHAPITRE

5

Et puis, un jour, ma bonne étoile se manifesta à nouveau par la bouche de Mme de Maintenon. Elle me fit appeler une après-dînée dans son bureau et me dit :

— Louise, la Reine d'Angleterre en exil souhaite vous avoir auprès d'elle à Saint-Germain pour que vous chantiez dans ce qui est l'équivalent de la Musique de la Chambre.

Je crus défaillir et je bredouillai :

— Moi ? Mais comment ?.... Je... j'étais malade lorsque Sa Majesté Jacques II[1] et la Reine sont venus voir *Esther* à Saint-Cyr.

---

1. Jacques Stuart (1633-1701). Roi d'Angleterre et d'Écosse. S'étant converti au catholicisme alors que ses sujets étaient en majorité anglicans, il fut obligé de fuir l'Angleterre en décembre 1688 et de se réfugier chez son cousin Louis XIV à Saint-Germain.

— M. Moreau avait vanté votre voix et la Reine Marie[1] a été si déçue de ne point vous entendre qu'elle est revenue anonymement vous écouter lors des vêpres.

J'étais de plus en plus émue et je ne pus que bafouiller :

— Oh ! Madame... La Reine est venue... pour moi ? pour ma voix ?

— Si fait. Marie de Modène goûte particulièrement la musique. Malheureusement, les chanteurs et les musiciens qui lui étaient attachés n'ont pas tous quitté l'Angleterre pour la suivre dans son exil, aussi cherche-t-elle à reconstituer une musique qui puisse la distraire de son chagrin d'avoir été chassée si injustement de son royaume.

— Je ne pense pas pouvoir assumer cette charge... Je suis trop... enfin, pas assez...

— Votre modestie vous honore, Louise, et je n'en attendais pas moins de vous. Mais il me paraît tout à fait impossible de refuser votre présence à la Reine Marie qui a tant besoin de réconfort.

— Oh ! Madame, repris-je, être remarquée par une Reine... C'est trop d'honneur. Jamais je n'oserai chanter devant Sa Majesté.

— Vous avez bien chanté devant votre Roi.

1. Marie de Modène (1658-1718) fut la seconde épouse de Jacques II. Elle était catholique.

— C'était déjà si... impressionnant que je me demande encore comment les sons ont réussi à franchir ma gorge.

Mme de Maintenon ébaucha un sourire et ajouta :

— Sa Majesté la Reine d'Angleterre vous a écoutée et estime que vous chantez avec une pudeur assurée, une généreuse modestie et une douce gravité. Ce sont ses propres paroles.

Ses compliments finirent par me convaincre d'accepter d'entrer au service de la Reine d'Angleterre exilée. De toute façon, avais-je le choix ? Et puis, malgré la crainte de quitter le cocon familier de Saint-Cyr et mes amies, n'était-ce pas le seul moyen d'acquérir la liberté et d'obtenir des informations sur ma mère ?

— C'est une faveur tout à fait spéciale que nous vous accordons, Louise, puisque, comme vous le savez, aucune jeune fille ne peut quitter notre Maison de Saint-Louis avant l'âge de vingt ans. La Reine Marie vous prend également comme fille d'honneur, ce qui assurera votre protection. Et lorsque vous atteindrez vos vingt ans, le Roi vous dotera comme si vous aviez passé les quatre dernières années au sein de notre maison.

— Oh, Madame ! m'écriai-je encore. Je... je suis si heureuse de pouvoir dispenser du bonheur avec ma voix !

J'avais sans doute exprimé ma joie avec trop de spontanéité, car la marquise me répondit assez sèchement :

— N'oubliez pas, ma fille, que c'est avant tout pour chanter les louanges de Dieu que cette voix vous a été donnée.

Je baissai les yeux. Me promettant, à l'avenir, de ne point trop marquer mon contentement à exercer mon art.

La marquise poursuivit :

— Certes, vous ne pourrez pas chanter à la chapelle de Saint-Germain, mais, dans le privé, Sa Majesté aime entendre des chants religieux et vous y excellez particulièrement.

C'était une façon détournée de me signifier que je ne quittais pas Saint-Cyr pour chanter des opéras. Je n'en connaissais d'ailleurs aucun, mais je ne désespérais pas d'en apprendre. Mme de Caylus nous avait parlé de la beauté d'*Atys* et de *Roland* dont M. Lully avait composé la musique sur un livret de M. Quinault et je rêvais d'y interpréter un rôle.

J'assurai cependant avec le plus de modestie possible :

— Ma voix n'est qu'un instrument au service de l'Église.

Cette phrase plut à Mme de Maintenon. Elle se leva et posa une main légère sur mes cheveux en soupirant :

— Louise, vous me donnez toute satisfaction. Je suis fière de voir la jeune fille belle et pieuse que vous êtes devenue.

Touchée par cet aveu, je murmurai :

— Merci, Madame.

Je brûlais d'envie de lui avouer que je savais pourquoi elle m'accordait un peu de tendresse et pourquoi elle se souciait plus de moi que de mes compagnes...

Bien que notre maison se targuât d'être hermétique aux bruits et potins de la Cour, ils franchissaient nos murs grâce aux visites de Mme de Caylus. C'était elle qui nous avait informées du mariage secret de Mme de Maintenon avec notre Roi[1]. Ce n'était qu'une rumeur qui avait ses partisans et ses détracteurs. Je penchais pour les premiers, ce qui m'autorisait à penser que si Mme de Maintenon me montrait quelque affection c'était parce que le sang de son époux coulait dans mes veines. Mais je n'étais sûre de rien.

Pourtant, si je lâchais la phrase qui me rongeait le cœur : « Je sais que je suis la fille du Roi », quel cataclysme provoquerait-elle ?

---

1. Louis XIV épousa secrètement Mme de Maintenon dans la nuit du 9 au 10 octobre 1683. La reine, Marie-Thérèse d'Autriche, était morte le 26 juillet 1683.

Je continuai donc à garder mon secret en me disant que, décidément, les grands de ce monde possédaient aussi de grands mystères.

— Et quand devrai-je partir ? demandai-je.

— Dès demain.

— Déjà !

La perspective de quitter si rapidement mes compagnes et l'univers qui était le mien depuis bientôt dix ans m'affola.

— Nous ne saurions faire attendre la Reine Marie. Dites au revoir à vos amies et préparez-vous. Demain matin, une calèche viendra vous chercher et vous conduira au château de Saint-Germain.

Complètement tourneboulée, je rejoignis mes amies en récréation dans le parc. Elles profitaient de la douceur de ce mois d'avril pour jouer et bavarder avant de replonger dans le silence imposé par la règle de la maison. Dès qu'elles m'aperçurent, elles coururent vers moi pour satisfaire leur curiosité.

Je ne savais quelle mine adopter. J'étais à la fois heureuse et triste de partir. J'avais à la fois envie de rire et de pleurer.

— Vous en faites une tête ! s'étonna Charlotte.

— C'est que... il m'arrive quelque chose d'incroyable... et je ne sais pas si je dois m'en réjouir ou me lamenter.

— Madame vous a trouvé un mari ! proposa Hortense.

Cette supposition me fit sourire et me permit de relativiser ma situation. Tout valait mieux que d'être mariée de force à un vieillard ! Aussi, j'enchaînai plus joyeusement :

— Non point. Je suis engagée pour chanter dans la Musique de la Reine d'Angleterre.

Les yeux de mes compagnes s'arrondirent de stupéfaction et les exclamations fusèrent :

— La Reine d'Angleterre ! L'épouse de Jacques II, le Roi déchu qui vit maintenant à Saint-Germain ?

— Parfaitement.

— Oh ! je me souviens lorsque le couple royal est venu voir *Esther* voici quelques mois, s'exclama Isabeau. J'avais été si impressionnée !

— Vrai ! Quelle chance ! lança Charlotte. Moi qui ne rêve que de fuir cette maison où je m'étiole.

— J'ignore s'il s'agit d'une chance. Vivre parmi les grands ne m'a jamais attirée, au contraire cela m'effraie.

— Pas moi. D'ailleurs, comme vous le savez, je ne vais pas tarder à vous imiter. Peut-être nous verrons-nous à Versailles ?

— Cela m'étonnerait. Je ne serai pas à Versailles mais à Saint-Germain et je ne quitterai probablement jamais les salons de la Reine.

— Vous allez me manquer, murmura Isabeau.

Sa peine me toucha particulièrement. Il est vrai que c'était elle qui m'avait révélé le mystère de ma naissance et que cela avait créé un lien très fort entre nous. Je posai une main sur son bras.

— Ce n'est pas de gaieté de cœur que je pars... mais je dois obéir.

Ne voulant pas paraître égoïste, Isabeau ajouta :

— Je suis contente pour vous, Louise, vous aurez ainsi l'occasion d'exercer mieux votre art et plus de liberté pour mener à bien votre projet.

Elle ne précisa pas quel était mon projet. Il avait été convenu entre nous de ne pas l'ébruiter et, pendant les récréations, nous étions toujours à la merci des oreilles indiscrètes des unes et des autres à l'affût de nos conciliabules.

À Saint-Cyr, comme ailleurs, des rivalités entre les filles existaient et il était préférable que personne ne connaisse mon secret. Cela risquait de m'attirer plus d'animosité que de sympathie.

J'embrassai Isabeau et lui assurai :

— Je ne vous oublierai pas et, si je le peux, je reviendrai vous voir. Je souhaite sincèrement que vos rêves se réalisent.

Mon amie en avait deux : le premier était que sa petite sœur Victoire restée en Languedoc soit également accueillie à Saint-Cyr. Le deuxième était de devenir maîtresse pour le bonheur d'enseigner aux autres.

Puis j'embrassai Hortense et lui murmurai :

— Je ne vous oublierai pas non plus. J'espère que votre cœur saura faire le bon choix.

Elle essuya une larme qui glissait sur sa joue et dit en regardant Charlotte :

— J'ai l'impression de perdre un à un les membres de ma nouvelle famille...

Je la réconfortai :

— Voyons, Hortense, bientôt vous aurez une famille à vous. Un homme qui vous aime, des enfants, et...

— Chut ! Je vous en prie... cela me fait tellement peur.

Je le savais. Hortense était amoureuse de Simon, le frère de Charlotte, qui l'aimait en retour, mais cet amour tout neuf la paniquait.

Enfin, j'embrassai Charlotte.

L'émotion me gagnant, je ne pus parler. C'est elle qui me dit :

— Je vous souhaite de tout cœur de réussir dans votre entreprise.

J'esquissai un sourire et je bredouillai.

— Et vous, soyez patiente.

Elle haussa les épaules et je compris qu'elle ne suivrait pas mon conseil.

6

Le lendemain matin après l'office, la mère supérieure me fit appeler dans son bureau. Les marques de tendresse et les effusions étant interdites, je serrai rapidement les mains de mes compagnes. Je ne me retournai pas, craignant de ne pas pouvoir contrôler les larmes qui se pressaient sous mes paupières.

Quelques minutes plus tard, je frappai à la lourde porte de chêne. Une boule d'angoisse me nouait la gorge.

Dans la vaste pièce, au mobilier sommaire, la mère supérieure m'accueillit assez sèchement.

— J'espère que vous n'avez pas claironné dans toute la maison que vous partiez chanter pour la Reine d'Angleterre ?

Comprenant que mon départ ne lui plaisait pas, je mentis à moitié. J'en avais seulement parlé à mes meilleures amies et j'assurai :

— Non, ma mère.

— Votre voix va nous manquer. À la chapelle, elle nous guidait vers le Très-Haut.

Je baissai la tête dans une attitude soumise afin de ne pas envenimer les choses. Elle soupira et conclut :

— Enfin... c'est ainsi... les grands décident. Bien sûr, vous n'emportez rien qui appartienne à cette maison. Ni vêtements, ni trousseau, ni nécessaire de toilette, rien. Déshabillez-vous !

Sa sécheresse me blessa. J'étais arrivée pauvre et en haillons. Je repartais de même. J'espérais cependant qu'elle ne me laisserait pas quitter la maison totalement nue, ce qui aurait provoqué un beau scandale ! Tout émue que j'étais, cette image me fit sourire, tant j'étais certaine qu'elle ne pouvait exister.

La mère supérieure me tendit un jupon, un corps[1], des bas, une robe en taffetas de soie bleue dont les manches et le léger décolleté étaient ornés d'une fine dentelle. Je me changeai et lissai de la main le tissu de la jupe. Être ainsi vêtue me procura

---

1. Ancien mot pour « corset », sous-vêtement en tissu épais garni de lacets que l'on serrait pour affiner la taille.

un incommensurable plaisir. Je regrettai de ne pouvoir apercevoir mon image dans un miroir.

Je devais sans doute cette robe à Mme de Maintenon et, une fois de plus, je lui en fus reconnaissante.

— Un carrosse vous attend dans la cour. Soyez discrète. Vos camarades sont en classe et je ne souhaite pas qu'elles vous voient partir.

Me faire remarquer n'est pas dans mes habitudes. Une question me taraudait néanmoins et je la posai :

— Est-ce que je pourrai emporter mon violon ?

Les yeux de la supérieure me foudroyèrent comme si j'avais voulu la voler.

— Grand Dieu, non ! gronda-t-elle. Les violons nous ont été offerts par Sa Majesté. Ils appartiennent à la Maison et non à celles qui en jouent.

Je le savais. Mais j'aimais l'instrument sur lequel j'avais appris à jouer et m'en séparer me coûtait.

Je quittais donc la Maison Royale de Saint-Louis les mains vides.

Je laissais derrière moi un lieu calme et sûr où j'avais vécu de belles années avec de bonnes amies pour un avenir incertain. Pendant quelques secondes, malgré le soleil de ce mois d'avril, je frissonnai. Puis, refusant que la tristesse me gagne, je m'efforçai de voir le bon côté de ce départ. Il allait me permettre de me livrer à ma passion : le chant, d'approcher la Cour, le Roi, et surtout d'essayer de découvrir qui était ma mère. C'était une vie autrement plus palpitante que celle que j'aurais pu espérer entre les murs de Saint-Cyr.

C'est donc un léger sourire aux lèvres que je m'assis dans le carrosse aux armoiries du Roi. Mme de Maintenon y était déjà. Elle m'accueillit par ces mots :

— N'oubliez jamais ce que vous devez à cette Maison.

Poussée par un souffle de hardiesse, je me permis de lui répondre.

— C'est surtout à vous, Madame, plus qu'à cette Maison, que je dois tout.

Elle ne me détrompa point, mais détourna son regard et garda le silence tandis que le cocher fouettait les chevaux pour quitter le parc de Saint-Cyr en direction de la forêt de Saint-Germain. Des mousquetaires du Roi nous escortaient.

— Ce jour d'hui, vous allez faire votre entrée officielle à la cour d'Angleterre, me dit-elle. C'est moi qui vous présenterai au Roi Jacques II et à la Reine Marie.

Émue, je remerciai.

— J'espère que vous n'avez point oublié comment on fait une révérence.

— Je ferai de mon mieux.

— La Reine sera indulgente. Elle n'ignore pas que les manières de la Cour ne sont pas celles de Saint-Cyr. Elle m'a promis de continuer à s'occuper de votre éducation. Je vous laisse en toute confiance entre ses mains.

La marquise se tut et sembla s'absorber dans ses pensées. Le grondement des roues sur les pavés, le craquement des essieux et le claquement des sabots des chevaux sur le sol emplirent l'habitacle. Je me tournai vers la petite fenêtre de la portière. C'était la première fois que j'étais dans un carrosse pour un trajet de plusieurs lieues, si j'excluais le jour où l'on m'emmena de chez ma nourrice à Rueil, mais j'étais très jeune alors et je ne gardais aucun souvenir de ce voyage. J'essayai d'apercevoir le paysage, mais je ne vis que des arbres et encore des arbres.

Tout à coup, une évidence me fit tressaillir.

En m'éloignant de Saint-Cyr ne voulait-on pas m'éloigner du Roi qui nous rendait régulièrement visite ? Ne craignait-on pas qu'un jour il me reconnût enfin et fît de moi une princesse à l'égale des filles de la duchesse de La Vallière ou de Mme de Montespan ? Et ne redoutait-on pas qu'une indiscrétion de la très bavarde Mme de Caylus ne m'apprît qui était ma mère ? J'ignorais qui était ce « on » qui voulait m'ôter toutes mes chances de reconquérir ma véritable place... pourtant il m'apparut certain qu'il existait. Cette constatation me brisa, mais je tâchai de ne rien montrer de ma détresse.

Après ce long silence, Mme de Maintenon reprit :

— Je vous recommande particulièrement de vous tenir à l'écart de toutes les intrigues de Cour, de ne point écouter les commérages et de ne pas céder au premier galant qui vous fera compliment.

Cette attention me toucha. C'était tout bonnement les réflexions d'une mère s'adressant à... sa fille.

La pensée me vint alors qu'elle pourrait être ma mère. Après tout, on murmurait qu'elle était l'épouse secrète du Roi, alors pourquoi n'en aurait-elle pas une fille tout aussi secrète ?

Je fouillai ma mémoire pour retrouver le visage de la femme qui venait me visiter chez ma nourrice. L'image était floue. Le parfum même s'était estompé... Celui de Mme de Maintenon rappelait le muguet... Il ne me semblait pas que c'était celui de ma mère. Mais en dix ans une femme peut bien changer de parfum !

Et si c'était elle qui voulait me détacher de Saint-Cyr pour préserver ce mystère ?

CHAPITRE
7

À première vue, le château de Saint-Germain me parut austère. Il avait encore ses douves et on voyait bien que c'était un château médiéval ayant reçu quelques aménagements afin de le rendre plus agréable.

Un majordome nous fit attendre dans une anti-chambre, puis il nous annonça et nous entrâmes dans un salon aux murs tendus de soie rouge où une femme, encore jeune, était assise dans un fauteuil à côté d'un homme vieux et assez laid, un petit chien au nez plat et aux longs poils[1] lové au creux de son bras : la Reine Marie de Modène et son époux le Roi Jacques II d'Angleterre.

1. Il s'agit d'un Cavalier King-Charles, race de chien appréciée par le Roi Charles Ier d'Angleterre, père de Jacques II.

Trois jeunes femmes étaient debout derrière la Reine et deux hommes encadraient le Roi.

La pompe du lieu m'impressionna. J'avais déjà approché Louis XIV, mais c'était dans la simplicité de notre maison.

Là, tout était différent. C'était un Roi que je ne connaissais pas et qui nous recevait chez lui. Je ne sentais plus mes jambes, mes oreilles bourdonnaient et je devais être plus blanche qu'un drap.

Mme de Maintenon inclina le buste devant le couple royal. Intimidée, j'exécutai de mon mieux une révérence profonde, restant dans l'inconfortable position jusqu'à ce que la Reine dise avec un charmant accent anglais :

— Ainsi, voici le petit prodige. Avancez, mademoiselle.

De pâle je virai au rouge sous le compliment et la tête me tourna. Mme de Maintenon me poussa légèrement et je fis un pas en avant.

— Majesté, dit-elle en s'adressant au Roi, j'ai l'honneur de vous présenter Louise de Maisonblanche.

Je m'inclinai à nouveau, les yeux baissés.

La marquise s'adressa alors à la Reine :

— Madame, voici la demoiselle dont la voix vous a charmée.

Je m'inclinai encore. La Reine eut la grande bonté de me relever en saisissant ma main, qu'elle garda dans la sienne. J'osai glisser un regard sous mes cils. Elle avait un visage de Madonne italienne, irradiant de douceur, et cela me rassura.

— Une voix d'ange, vraiment, si pure, si légère...

Puis, se tournant vers les dames de sa suite, elle ajouta :

— Vous jugerez par vous-mêmes, mesdames. Pour ma part, je n'avais jamais rien ouï d'aussi beau...

Mme de Maintenon fronça les sourcils. Ces éloges à mon égard ne devaient pas lui plaire. Ils étaient contraires à la modestie que l'on nous enseignait à Saint-Cyr. D'ailleurs, elle insista :

— Madame, cette voix est un don de Dieu... Louise ne doit en tirer aucune gloire.

Marie de Modène la coupa d'un geste de la main pour renchérir :

— Sans doute, mais je serai heureuse qu'elle l'utilise pour notre bon plaisir.

Cette phrase sembla moucher Mme de Maintenon, qui enchaîna :

— Il est temps pour moi de me retirer.

Personne ne la retint et elle sortit de la pièce sans un mot à mon intention.

Cela me chagrina et je m'interrogeai : n'avait-elle pas voulu montrer au couple royal l'intérêt qu'elle me portait pour éloigner tout soupçon sur mes origines ? Le Roi et la Reine étaient-ils au courant que j'étais la fille de Louis XIV ? Souhaitait-elle rompre définitivement le lien amical qui nous unissait depuis mon arrivée à Rueil ? Il me semblait qu'une phrase du genre « bon courage » ou « à bientôt » n'aurait pas été superflue.

Dès que la marquise eut disparu, la Reine me demanda :

— Louise, chantez-nous quelque chose.

Je m'affolai :

— Je... je ne connais que des motets et des chants religieux...

— Interprétez-nous un des *cantiques spirituels*[1].

La Reine n'avait pas choisi le plus facile. Ma voix n'était point échauffée et je craignais de la décevoir... Mais comment refuser ? Je priai Dieu qu'il me vînt en aide et j'interprétai celui que je possédais le mieux. L'angoisse d'une fausse note me tordait le ventre.

Lorsque je m'arrêtai, la Reine essuya une larme et je vis que les dames de sa suite étaient également émues. Le Roi lui-même me sembla touché.

— N'est-ce pas magnifique ! s'enthousiasma Marie de Modène.

Les demoiselles d'honneur acquiescèrent d'un sourire ou d'un murmure. Le Roi se leva. Il n'avait pas l'allure royale qui me faisait tant admirer mon

1. Paroles de Racine, musique de Moreau.

père. Il me parut maigre, voûté, sans grâce et sans distinction. Honteuse d'oser juger une altesse royale, je plongeai dans une large révérence. Avant de quitter la pièce, son petit chien toujours lové dans ses bras, il dit sans conviction aucune :

— Vous avez raison, madame, voilà une voix exceptionnelle.

L'atmosphère s'allégea dès qu'il fut sorti.

La plus jeune des demoiselles d'honneur s'approcha de moi et murmura :

— C'était si beau... si beau... que j'en ai pleuré.

— Je savais que la voix de Louise ne vous laisserait pas indifférentes. À l'avenir, elle chantera pour égayer nos journées. Il paraît que vous jouez aussi du violon ?

— Oui, Majesté... mais je n'ai plus d'instrument. Celui dont je me servais appartenait à la Maison Royale de Saint-Cyr et...

— Nous y remédierons. Nous n'allons pas vous laisser sans instrument et sans professeur. Une voix comme la vôtre s'entretient. Je vous donnerai les meilleurs maîtres. Je veux que vous deveniez un véritable bijou que notre cousin Louis le Grand nous enviera lorsque nous le convierons à des concerts.

J'étais abasourdie. Cela devait me donner un air bête, car la Reine éclata de rire.

— Voyons, Louise, ne soyez pas si étonnée. Ce que je fais pour vous, je le fais aussi pour moi. Lorsque je vous ai entendue dans la chapelle de Saint-Cyr, j'ai jugé dommage que votre exceptionnel don ne soit pas mieux exploité. Je vous accueille à Saint-Germain pour que vous deveniez une grande cantatrice pour notre agrément à tous... À présent, Élise, montrez à Louise sa chambre et aidez-la à défaire ses bagages.

Je rougis. De bagages, je n'avais point. La Reine perçut mon trouble, fronça les sourcils et enchaîna :

— Ah, il est vrai que vous venez de Saint-Cyr. Dès demain, vous aurez le nécessaire.

Je ne parvins même pas à remercier, tant j'étais honteuse de me présenter si misérablement devant elle, ma voix pour seul bagage, et tant j'étais heureuse de découvrir en Marie de Modène un cœur si généreux. Je plongeai à ses pieds dans une nouvelle révérence et, emportée par un élan de reconnaissance, je lui baisai le bout des doigts :

— Allez, mon enfant, me dit-elle, suivez Élise de Langeron, elle vous fera visiter le château et le jardin. Maintenant, vous êtes ici chez vous.

Je suivis Élise. Elle devait avoir un ou deux ans de plus que moi. Elle me dépassait d'une bonne tête, était bien en chair et avait une gorge avantageuse. Malgré mes seize ans, j'avais encore un corps de gamine. Élise était un véritable feu follet et une grande bavarde. Je sentis immédiatement que sa joie de vivre allait m'aider à combler le vide laissé par l'absence de Charlotte, d'Isabeau et d'Hortense et que nous allions devenir amies.

— Venez, me lança-t-elle, commençons par les jardins, c'est ce qu'il y a de plus beau.

Elle me prit par la main et nous traversâmes la première cour en courant. Quelques dames qui se promenaient nous foudroyèrent d'un œil méprisant et je surpris aussi quelques phrases coquines lancées par des gentilshommes étonnés par notre course et nos rires. Cela n'arrêta pas ma compagne.

Elle me désigna sur la gauche un curieux château fait de terrasses et de jardins mêlés, mais qui me sembla en fort mauvais état.

— C'est le Château Neuf[1]. Mais il n'a de neuf que le nom, ajouta-t-elle en riant, car il menace ruine. Il a été construit si près du précipice qu'il y tombe tous les jours un peu plus. Nous avons défense d'y entrer.

Elle courba le buste et me souffla à l'oreille :

— Mais on y vient quand même... les grottes sont étonnantes, vous verrez. Elles sont pleines d'automates de toutes sortes : cyclopes, dragons,

1. Henri II fit construire entre 1556 et 1559 un palais d'été, le « Château Neuf », dont il ne reste rien de nos jours.

oiseaux. Hélas ! ils sont si vieux et si rouillés qu'ils ne fonctionnent plus. Cela n'empêche pas les grottes de servir de cachette lorsqu'on a besoin d'un peu d'intimité.

Elle accompagna sa phrase d'un clin d'œil malicieux, puis reprit aussitôt :

— Excusez-moi, j'oubliais que vous sortez du couvent.

— Saint-Cyr n'est point un couvent... c'est une Maison d'Éducation.

— J'entends bien... mais vous n'avez pas dû y rencontrer beaucoup de galants. Ici, c'est tout le contraire. Il y a de beaux garçons partout... et il est difficile de leur résister.

Elle sourit et ajouta plus bas :

— Et je n'en citerai que deux : les fils du Roi, le duc de Berwick qui a juste vingt ans et son frère le duc d'Abemarle qui en a dix-sept !

— La Reine est bien jeune pour avoir des enfants de cet âge, m'étonnai-je.

— Ce ne sont point ses enfants, mais les fils que le Roi a eus avec sa maîtresse en titre, Arabella Churchill.

Je ne pus m'empêcher de penser qu'ils avaient de la chance de vivre auprès de leur père quand je devais me cacher du mien.

— Les princes ont tous deux un charme... un charme... très anglais..., poursuivit-elle.

Je m'offusquai :

— Oh, Élise... vous ne devriez pas...

— Une étreinte, un baiser, pas plus..., se défendit-elle. La vie à Saint-Germain n'est pas rose tous
les jours. La Reine est souvent triste, angoissée, nerveuse. Elle voit des espions partout, imagine qu'on
veut empoisonner son époux et son fils, le jeune
prince Jacques, qui n'a que deux ans.

— C'est affreux !

— Je ne vous le cache pas... Il y a un tas de
gredins, nobles ou pas, qui ont fui l'Angleterre mais
qui sont prêts à vendre le Roi, la Reine et leur fils
pour entrer dans les bonnes grâces du nouveau Roi
Guillaume.

— Je ne m'attendais pas à cela et j'avoue...

— Il y a aussi de bons côtés. Ceux que je vous
ai cités et aussi les fêtes, les divertissements, les
concerts et tous les potins de la Cour... Ils sont parfois très drôles, parfois cruels... entre les Anglais et
les Italiens qui se cherchent constamment noise, on
n'a pas le temps de s'ennuyer.

— Vous n'êtes pas anglaise ?

— Non point. Ma famille a suivi Henriette de
France lorsqu'elle a épousé Charles d'Angleterre,
mais je n'avais jamais quitté la Normandie avant
de venir ici. Je suis d'ailleurs la seule Française de
la Maison de la Reine et ce n'est pas une sinécure.

— Vous parlez l'anglais ?

— Un peu, mais cela n'a aucune importance. Le Roi et la Reine connaissent le français, comme doit le connaître, j'en suis certaine, le Roi des Turcs ou l'Empereur de Chine. Notre langue est celle qui est la plus utilisée par les grands de ce monde. C'est une chance ! Parfois, j'ai du mal à comprendre l'abominable accent de quelques personnages de la Cour qui se targuent de parler français alors qu'ils bredouillent à peine dix mots... mais on s'y fait.

— Alors, où est votre problème ?

— Il vient des vieilles Anglaises qui ne supportent pas de m'entendre rire, et des jeunes Italiennes qui me jalousent. La Reine Marie est italienne et sa Maison comporte autant d'Anglaises que d'Italiennes. Du coup, comme je suis française, dès que j'approche, toutes parlent bas de peur que je ne sois une espionne.

— Mais pourquoi demeurez-vous dans ce climat si malsain ?

— Parce que, si ma famille possède des titres de noblesse bien ronflants, elle s'est ruinée au service du Roi. Ma mère est dame d'atours de la princesse Palatine[1] et j'ai été choisie pour être demoiselle d'honneur de la Reine Marie. Cela me permet de tenir mon rang en attendant le mariage... Croupir

---

1. Charlotte Élisabeth de Bavière, princesse Palatine, était la deuxième épouse de Philippe, duc d'Orléans, frère de Louis XIV.

en province ne me convenait pas. Et puis Marie de Modène a un cœur d'or, ce qui aide à tout supporter.

Nous avions emprunté des allées bordées d'ifs et de buis, traversé des bosquets et des charmilles, contourné des compositions florales originales sans que la beauté de ce jardin à laquelle Élise était habituée n'interrompe notre conversation.

— Et vous, me demanda-t-elle alors que nous arrivions sur la terrasse, vous êtes de quelle province ?

Je ne pensais pas que le moment était venu pour des confidences intimes. Cependant, Élise m'était sympathique et je décidai de ne masquer qu'une part de la vérité :

— Je l'ignore... Je suis orpheline... en quelque sorte. J'ai perdu mon père... et je suis à la recherche de ma mère.

— Oh, je suis navrée.

— Ne le soyez pas, je n'ai connu ni l'un ni l'autre, et si leur tendresse m'a fait défaut, je n'ai manqué de rien grâce à Mme de Maintenon.

— Je m'entends bien avec ma mère. Mon père, je ne le vois point. Il est resté en Normandie pour s'occuper de ses terres. Être privé de sa mère doit être cruel. Vous la recherchez, me dites-vous ?

— Oui. J'ai appris depuis peu qu'elle vivait quelque part... dans l'entourage du Roi Louis.

— Et vous ne savez rien d'elle ?

— Non. Rien.

— Alors, nous allons la chercher et je vous promets que nous l'allons trouver !

Elle me claqua un baiser sonore sur la joue. Je souris. Décidément, cette fille était étonnante.

J'allais la remercier lorsque nous atteignîmes une balustrade ouvragée. La vue qui s'offrit soudain à moi me laissa bouche bée.

J'apercevais la Seine, qui musardait entre les coteaux boisés, les vergers et les vignobles, les terrasses ornées de massifs de fleurs qui descendaient jusqu'aux rives du fleuve et une galère amarrée à un ponton. Dans le lointain, les toits de Paris, ses nombreux clochers et la colline de Montmartre.

Élise me laissa savourer le spectacle et m'annonça :

— Le promenoir débute ici et se poursuit à main gauche sur presque deux lieues. Il n'y a jamais beaucoup de monde, car l'endroit est exposé au vent qui décoiffe et soulève les jupes ou au soleil qui gâte le teint. Moi, je m'y plais. J'aime le vent et le soleil. Mais les Anglaises préfèrent les bosquets, les grottes et les bassins. Quant aux Italiennes, elles raffolent des promenades sur le fleuve.

J'aurais pu rester des heures à admirer ce paysage, lorsque Élise me tira par la manche.

— Venez, je vais vous montrer notre chambre. Elle n'est pas luxueuse, mais le château n'est pas grand et c'est déjà beau d'avoir, sous les toits, une pièce pour dormir. Beaucoup de gentilshommes sont obligés de louer de méchants appartements alentour.

Après d'interminables escaliers et de sombres corridors, Élise me fit entrer dans une pièce sans fenêtre. Pour tout mobilier, il y avait un lit, un tabouret, un coffre et une petite table sur laquelle était posée une chandelle.

— Que dites-vous de notre palais ? plaisanta-t-elle.

Je mesurai alors la bonne fortune que j'avais eue de vivre dans le confort de Saint-Cyr, mais je me gardai de dénigrer le lieu et je répondis sur le même ton :

— Je n'en ai jamais connu de plus luxueux !

8

Dès le lendemain, Mme de Monicelli, dame d'honneur de la Reine, me porta une cassette en cuir repoussé.

— Voici votre pension afin que vous puissiez vous vêtir correctement, me lança-t-elle du bout des lèvres. Élise vous indiquera les couturières et les modistes qui travaillent pour la Cour.

Elle ne me fut point sympathique. Peut-être était-ce dû à sa maigreur et à son visage ridé et trop fardé ?

Elle ne s'attarda pas et, dès qu'elle sortit de la pièce, Élise me prévint :

— Cette Monicelli est une vieille chouette ! C'est la plus ancienne dame d'honneur de la Reine et elle ne supporte aucune nouvelle tête... surtout des étrangères comme nous. Elle nous surveille constamment... toujours cette peur de l'espion ! Elle n'a de grâces que pour Sa Majesté, qu'elle protège et couve comme une mère poule !

Sa comparaison me fit sourire, mais Élise enchaîna avec sérieux :

— Méfiez-vous d'elle, elle ne reculera devant aucune bassesse pour nous faire chasser et engager une Italienne à notre place.

Après cette mise en garde, elle reprit un ton badin.

— Nous allons vous commander quatre ou cinq robes, des jupons, des corps, des bas, des rubans, des dentelles, des chapeaux et des souliers.

L'idée de pouvoir choisir le tissu, la couleur, la dentelle de ma robe m'enchanta et m'effraya tout autant.

— Je ne saurai point ! m'exclamai-je.

Élise éclata de rire :

— Voilà bien une réponse de nonne ! Je vous y aiderai et Mme Coulomb, qui habille la Cour, sait parfaitement ce qui se porte.

— Et puis... je ne voudrais pas dépenser tout mon pécule en... futilité... Une ou deux robes suffiront, ne croyez-vous pas ?

— Vous voulez donc passer pour la fille la plus misérable de Saint-Germain ? Ce n'est point de la sorte qu'un galant vous remarquera et demandera votre main !

— Je ne veux pas me marier. Je veux chanter et... et retrouver ma mère. Le reste m'importe peu.

— Je vous entends bien, mais il vous faut un peu d'élégance tout de même. Vous ne pourrez pas chanter devant le Roi habillée en souillon... Concernant votre mère, si vous voulez fouiller, chercher, interroger, le meilleur moyen sera de vous fondre dans la masse des courtisans, et pour cela, ma chère amie, il faut leur ressembler.

Elle avait raison.

Ma compagne me conduisit bientôt à une grille du parc et m'expliqua que des échoppes y avaient poussé dès que la cour d'Angleterre s'était installée.

— C'est ici, me dit-elle, que toutes les dames de la Cour s'approvisionnent. Il y a aussi une modiste qui vous arrange un vieux chapeau en un tour de main et une repasseuse qui fait merveille sur les ruchers de dentelle.

Élise me persuada d'acheter dentelles et rubans de différentes étoffes et de plusieurs couleurs afin d'agrémenter mes tenues. Après quoi nous regagnâmes notre chambre avec nos emplettes. J'étais un peu honteuse de m'être laissée aller à tant de frivolité mais Élise m'assura que c'était au nombre de rubans que l'on reconnaissait une demoiselle bien née.

Quelques jours plus tard, alors qu'avec Élise je devisais dans un salon en attendant que Sa Majesté nous fasse appeler pour une promenade dans le parc, Lord Caryll, secrétaire privé de la Reine et responsable de la Musique à la Cour, me remit un violon. À en juger par sa mine renfrognée, il ne voyait pas d'un bon œil l'intrusion d'une fille au sein de la Musique royale et qui plus est d'une Française dont on ne connaissait ni les quartiers de noblesse ni les capacités.

— Voici l'instrument que vous avez réclamé à Sa Majesté, me dit-il en insistant sur le mot « réclamé » comme si j'avais eu l'outrecuidance d'oser demander à la Reine quelque chose que je ne méritais pas.

— Je ne l'ai point réclamé. Sa Majesté me l'a simplement proposé, sachant que j'aimais en jouer.

— Je serais curieux d'entendre cela ! me défia-t-il.

Je n'étais point encore une experte, mais j'étais bien décidée à lui montrer ce que je savais faire. J'accordai l'instrument et lui interprétai, pas trop mal je crois, un morceau de Lully que nous avions appris à Saint-Cyr.

Il m'écouta et l'expression de son visage changea. Il ne me complimenta pas pour autant.

— Il faudra travailler, lâcha-t-il, beaucoup travailler.

— Je partage votre avis, monsieur. Mon plus vif désir est de travailler pour progresser.

Ne me jugeant point trop orgueilleuse, il opina du chef et poursuivit :

— Sa Majesté m'a dit que M. Bonelli, premier violon, acceptait d'être votre professeur.

— C'est beaucoup d'honneur.

— C'est ce que je pense également.

Sa phrase claqua sèchement. Il ajouta d'un ton sarcastique :

— Et il paraît qu'en plus vous chantez ?

— Oui, monsieur.

Je m'attendais à ce qu'il exige que je lui montre l'étendue de ma voix. Il ne le fit point. Passe encore de savoir jouer d'un instrument comme la plupart des demoiselles de bonne condition, mais si de surcroît j'avais une belle voix, c'était trop ! Il bougonna entre ses dents :

— M. Abell[1] sera votre professeur.

— John Abell ! s'exclama soudain Élise, la main sur le cœur, prête à se pâmer.

— Lui-même, lâcha-t-il à regret.

Comme je ne réagissais pas au nom qu'il avait prononcé, il m'expliqua :

— C'est la plus belle voix du royaume d'Angleterre, et probablement la plus belle voix de la terre. Décidément, Sa Majesté vous gâte.

1. Haute-contre et luthiste anglais (1653-1716).

— Je vous remercie, monsieur, pour ces excellentes nouvelles. J'irai remercier personnellement la Reine pour l'attention qu'elle veut bien me porter.

Dès qu'il eut tourné les talons, Élise se jeta pratiquement sur moi en me saoulant de paroles :

— John Abell est venu de Londres avec la Reine. Il a une voix de haute-contre magnifique. Je l'ai déjà entendu interpréter des airs de Lully et de Purcell[1], et à chaque fois il me met le cœur à l'envers... En plus, il est divinement beau... grand, élancé... et d'une élégance... Quand je pense que vous allez l'approcher, lui parler en privé... Quelle chance vous avez !

Son exaltation me fit sourire.

— Oh, vous savez, ce n'est point son élégance qui m'intéresse, mais ce qu'il saura m'enseigner.

— Certes, se défendit-elle. Pourtant si le professeur a de l'allure, les leçons seront plus agréables. Est-ce que je pourrai venir vous écouter ?

— Voyons, me moquai-je, il serait plus honnête de me demander si vous pouvez venir admirer M. Abell !

Élise se mordit la lèvre.

1. Henry Purcell, compositeur anglais (1659-1695).

— Vous avez vu juste... Le voulez-vous bien ? De toute façon, il serait parfaitement incorrect que vous demeuriez seule avec lui. Je serai donc votre chaperon.

Le lendemain matin, M. Abell se présenta dans le cabinet de musique où je l'attendais avec Élise. Il n'était plus très jeune, il semblait avoir dans les quarante ans, mais il avait encore une allure et une prestance que beaucoup devaient lui envier. Élise le dévora des yeux pendant tout le temps de la leçon.

Le maître m'apprit à respirer par le ventre. Au début, je n'osai point et je le jugeai assez grossier d'exiger de moi une chose pareille. Il me semblait normal de respirer par le haut et non par le bas de mon corps.

— Tout doit partir de l'intérieur, m'assura-t-il.

Je m'appliquai.

— Soutenez bien le son, me corrigea-t-il, et ne plissez pas le front lorsque vous montez une note. Le son doit s'échapper de vous sans effort. Votre visage doit exprimer votre émotion mais ne rien laisser paraître du travail que vous fournissez.

Après une heure de vocalises et d'exercices divers, il me fit interpréter un air de Lully qu'il accompagna fort joliment au luth.

— Vous êtes douée, mademoiselle, me dit-il à la fin du morceau, vous deviendrez une grande cantatrice.

Sous le compliment mon visage s'empourpra.

Élise, qui avait réussi à garder le silence pendant la leçon, se leva d'un bond du pliant où elle était assise et, me sautant au cou, elle s'exclama :

— Oh, j'aimerais tellement vous voir interpréter un grand rôle !

— Ce n'est pas encore pour demain..., intervint John Abell un sourire aux lèvres devant la spontanéité de mon amie. Mlle de Maisonblanche devra encore beaucoup travailler, mais on ne m'avait point menti en m'affirmant qu'elle avait une voix exceptionnelle et je suis heureux de l'aider à la développer.

Je n'en pouvais plus d'être l'objet de tant de prévenance. J'inclinai la tête devant le maître et je balbutiai :

— Je... je vous remercie, monsieur, j'espère me montrer digne de l'honneur que vous me faites.

John Abell vint trois fois par semaine me faire travailler et ma voix acquit au fil du temps plus d'amplitude et de maturité, je gagnai quelques notes dans les aigus, ce qui me remplissait d'aise et faisait la fierté de mon professeur. J'attendais avec impatience le moment où je me produirais en public.

9

Parallèlement à mes leçons de chant et de violon, je participais pleinement à la vie de la Cour, initiée par Élise.

Pourtant, l'atmosphère qui régnait à Saint-Germain n'était pas celle que j'avais imaginée. Il y avait toujours comme une nostalgie dans l'air sans doute due à la situation de Leurs Majestés. Être en exil, même dans le château de leur cousin, ne devait pas être agréable. Le Roi, qui ne rêvait que de reconquérir son trône perdu, se montrait préoccupé et taciturne et vivait dans l'angoisse des complots et conjurations qui pouvaient leur coûter la vie, à lui ou à son jeune fils.

Par chance, la Reine Marie me prit en amitié. Elle aimait en moi ma simplicité, ma droiture et ma gentillesse. Je ne me permettrais pas de me vanter, c'est elle-même qui m'attribua ces qualités un jour pluvieux et venteux où nous brodions dans son salon à côté de la cheminée :

— Ah, Louise, me dit-elle, pas une minute je ne regrette de vous avoir fait quitter Saint-Cyr pour vous prendre à mon service.

Je levai les yeux de mon ouvrage sans parvenir à proférer une parole.

— Vous avez l'âge qu'aurait ma fille Isabelle si Dieu ne l'avait rappelée à Lui si tôt..., poursuivit la Reine. Il me plaît d'imaginer qu'elle vous aurait ressemblé. J'espère seulement que l'enfant que je porte aura autant de cœur que vous en avez.

De saisissement, je me piquai le doigt à l'aiguille et j'en suçai le sang afin qu'il ne tachât pas le tissu. Cette comparaison était si flatteuse pour moi !

— Et votre voix céleste est comme une prière qui me réconforte, continua la Reine.

— Oh... Votre Majesté est... trop bonne, parvins-je enfin à balbutier.

— Non point. Et puisque Mme de Maintenon m'a appris que vous n'aviez pas de famille, j'aimerais que vous vous sentiez ici chez vous.

Mon bonheur se brisa brusquement. Mme de Maintenon avait menti. J'avais un père... et quel père ! Quant à ma mère, je me jurais bien de la trouver. Je ne jugeai pas le moment opportun pour détromper la Reine et je m'efforçai de faire bonne figure.

— Et surtout, Louise, ajouta-t-elle, si vous avez un problème, n'hésitez pas à m'en parler.

Cependant, les fêtes se multipliaient à Saint-Germain, comme pour tenter de chasser les soucis royaux, et il ne se passait pas trois jours sans qu'il y ait un divertissement : bal, concert, feu d'artifice, théâtre, chasse, descente de la Seine en galiote ou promenade aux flambeaux dans le parc.

Au début, ma timidité ne me permit pas de goûter pleinement tous ces plaisirs mais, petit à petit, je perdis de ma réserve et, tout en ne sombrant pas dans la débauche, je m'amusais, surtout lorsqu'il s'agissait d'opéra et de théâtre.

Chaque fois, j'espérais que mon père serait là. Je ne l'avais point revu depuis deux mois et cela me chagrinait. J'avais besoin de le voir, comme j'avais besoin de la lumière du soleil.

Fin juin eut lieu une grande fête. La célébration du plus long jour de l'année en fut le prétexte.

Dans le parc du château, fleuri de roses et de tubéreuses, des maisonnettes avaient été dressées et artistiquement décorées. Certaines abritaient des loteries, d'autres des bouquetières qui distribuaient des fleurs, d'autres des valets qui versaient des rafraîchissements dans des coupes d'argent, d'autres des montagnes de confiture ou de pâtes de fruits.

Le Roi de France, Mme de Maintenon, le Grand Dauphin, le duc du Maine, le duc de Bourgogne et tous les princes et princesses légitimés, Monsieur — frère du Roi — et Madame honorèrent le divertissement de leur présence.

À cette occasion, M. Abell jugea que j'étais apte à interpréter avec lui quelques grands airs du répertoire dans un théâtre de verdure monté à la croisée de deux allées.

Nous avions beaucoup répété. Mais je tremblais de peur de commettre une fausse note et je craignais que ma gorge, nouée par l'émotion, ne me permît pas d'atteindre les notes les plus hautes.

Élise était aussi excitée que moi... pas pour les mêmes raisons cependant.

— Le duc de Berwick, le fils de Sa Majesté, m'a promis de me faire monter dans le carrosse de la Félicité ! Je suis folle d'impatience et de joie, me dit-elle.

— Quelle est cette histoire de carrosse ?

— Quoi ? Vous n'êtes pas au courant ? Il est vrai que vous passez tout votre temps à faire des vocalises et que vous en oubliez l'amusement ! Le duc de Berwick et son frère le duc d'Abemarle ont tous les deux décoré leur carrosse de fleurs, de branchages et de fruits. Le premier représentera la Félicité et l'autre l'Abondance... Ils ont choisi parmi les dames d'honneur ou les demoiselles de la Cour les plus charmantes pour parader avec eux. Et le fils aîné de la Reine, mon préféré, m'a retenue... Je suis si heureuse qu'il m'ait remarquée... il est si beau... si royal !

Je souris à ce qui me sembla un enfantillage. Mon but à moi était de chercher parmi toutes les dames de la suite royale celle qui pourrait être ma mère. Je n'avais aucun plan précis. Je pensais naïvement qu'elle me reconnaîtrait, à moins qu'un signe plus ou moins divin ne me la désigne.

Lorsque enfin l'instant de paraître sur la scène arriva, je n'avais plus de jambes et encore moins de voix. Derrière le rideau de verdure, j'avais regardé s'installer le Roi mon père, les princes et princesses, la famille d'Angleterre, puis une multitude de courtisans.

Ma mère était-elle parmi eux ?

Les quatorze violons de la bande[1] de la Musique étaient en place. C'était M. Fede, responsable de la chapelle, qui dirigeait les chœurs. Nous interprétâmes un air de Purcell, le musicien préféré de la

1. Terme utilisé à l'époque pour désigner le groupe de violonistes du Roi.

Reine d'Angleterre, un air de Lalande[1], le musicien préféré du Roi Louis, et des airs de Lully, aimé des deux monarques.

Au fur et à mesure que je chantais ma nervosité s'effaçait et ma voix devenait plus claire, plus aérienne. Dans l'intermède entre deux airs, il me sembla percevoir quelques murmures d'étonnement parmi la vénérable assistance. John Abell me chuchota même à l'oreille :

— Vous faites une forte impression.

Ce qui me fit rougir, mais personne ne dut s'en apercevoir tant la couche de poudre et de fard copieusement appliquée par Élise — pour que je sois aussi belle qu'une princesse — était épaisse.

À la fin du concert, nous fûmes chaleureusement applaudis.

Alors que j'allais me retirer à la suite de M. Abell, la Reine Marie me retint et expliqua à Louis XIV :

— Voici la jeune personne dont j'avais remarqué la voix à Saint-Cyr et qui grâce à votre bonté a pu quitter cette maison et rejoindre la mienne.

— Ah, oui... Louise de Maisonblanche... n'est-ce pas ?

Mon cœur menaçait de se décrocher de ma poitrine, mes jambes ne me soutenaient plus, mais je réussis à plonger dans une révérence que j'espérais

1. Michel Richard de Lalande : compositeur français (1657-1726).

parfaite. Mon père, enfin le Roi, se tenait à deux pas de moi.

— C'est cela. Elle est orpheline m'a-t-on dit, mais je puis assurer Votre Majesté qu'elle a une véritable famille à présent.

— C'est bien, c'est bien..., lâcha le Roi.

Malgré sa noblesse et sa grandeur, je le sentis mal à l'aise. Un instant, je me pris à rêver qu'il allait me relever et dire devant tous : « Elle n'est point orpheline, je suis son père. » Il ne le fit pas. J'eus alors la suprême audace de lever le visage vers lui. Nos regards se croisèrent. Je baissai promptement le mien, mais j'eus la certitude qu'il avait compris que je savais qu'il était mon père.

Mme de Maintenon, qui se tenait derrière son époux, me lança un coup d'œil aussi acéré qu'un poignard et, comme s'il s'agissait d'un geste malencontreux, elle me souffleta au passage de son éventail fermé. Elle l'avait fait exprès pour me punir d'avoir osé importuner le Roi.

Dans le carrosse qui m'avait conduite à Saint-Germain deux mois plus tôt et dans le grand désarroi qui m'habitait, j'avais imaginé qu'elle pouvait être ma mère. Mais était-ce là l'attitude d'une mère ? Peut-être. En tout cas, c'était celle d'une femme voulant à tout prix sauvegarder la quiétude de son époux. Par contre, comment pouvait-elle supporter que je grandisse dans l'ombre quand les autres bâtards du Roi vivaient à la Cour ? Pour me garder toute à elle ?

Je n'eus pas le temps d'approfondir ces questions. Mlle de Blois et Mlle de Nantes, les filles du Roi et de Mme de Montespan, m'entourèrent :

— Vrai, ce que vous chantez bien ! me félicita la première.

Elle avait juste treize ans et était mignonne comme un cœur. J'avais appris par Élise qu'elle était promise au Duc de Chartres, le fils de la princesse Palatine.

— Il eût été dommage que vous demeuriez enfermée à Saint-Cyr, minauda sa sœur. J'espère que bientôt vous nous donnerez un opéra. J'adore l'opéra !

Je ne pus leur répondre.

Je me disais que le même sang royal coulait dans nos veines, que nous étions demi-sœurs... Et tout à coup, je pensai : et si nous avions aussi la même mère ? Mme de Montespan avait eu plusieurs enfants avec le Roi, il se pouvait que je sois l'un d'eux qui, pour une raison qui m'échappait, n'avait pu être légitimé.

Moi qui n'avais pas de mère, je m'en attribuais à présent deux : Mme de Maintenon et Mme de Montespan. C'était assurément une de trop. Mais laquelle était la bonne ?

J'étais peut-être face à mes sœurs... et cela me troubla. J'envisageai une seconde de les questionner. L'audace me manqua. Je n'étais rien... et elles étaient princesses.

Un affreux sentiment d'injustice me terrassa. Je n'étais pas envieuse, non. J'aurais seulement voulu que mon père reconnût enfin que j'étais sa fille et que ma mère me serrât dans ses bras. Les honneurs, les bijoux, les titres, je les leur abandonnais sans regret. Ce que je souhaitais, c'était seulement avoir un père et une mère.

Je chantais pour la Reine presque tous les jours. Souvent, c'était en petit comité, lorsqu'il n'y avait aucun divertissement le soir après le souper et que Sa Majesté, ses dames d'honneur et quelques invités privilégiés, nous nous groupions dans ses appartements pour jouer aux cartes, faire de la musique ou deviser. Il était rare que la Reine ne me dise :

— Louise, chantez-nous un de ces airs de Purcell que j'aime tant.

Grâce à John Abell, j'en avais appris plusieurs. Mme de Chamberlain m'accompagnait au clavecin et c'était un plaisir de chanter pour la Reine qui m'écoutait toujours avec attention, faisant taire, d'un froncement de sourcil sévère, les bavardages de celles qui goûtaient moins la musique.

Je me livrais tout entière à ma passion du chant, mais cela ne me comblait pas. Les mois passaient et je n'avais toujours rien tenté pour retrouver ma mère, ne sachant comment m'y prendre.

Je m'en ouvris à Élise un soir de mélancolie alors que nous avions regagné notre soupente.

— Je vais en parler à ma mère, me proposa-t-elle. Comme je vous l'ai dit, elle est dame d'honneur de la Palatine... en interrogeant habilement cette princesse, elle pourrait peut-être apprendre quelque chose. Dans sa jeunesse, la Palatine était très amie avec le Roi... peut-être s'est-il confié à elle ?

— Oh, non, cela me gêne horriblement...

— Ma pauvre amie, il faut ruser un peu pour réussir à pénétrer quelques secrets de Cour trop bien gardés.

Elle avait raison. Mais ma timidité et l'infériorité dans laquelle ma condition de « fille sans père ni mère » me cantonnait faisaient que je n'osais pas mener l'enquête qui me tenait à cœur.

— Il y a dans huit jours un divertissement à Versailles. Toute la cour y sera. Le Roi et la Reine d'Angleterre y sont conviés.

— Je le sais. Je dois y chanter dans un opéra avec M. Abell. Pour divertir Sa Majesté, le maître de cérémonie a eu l'idée d'organiser une sorte de concours de sopranos. Marguerite Couperin,

Antoine Favalli, le jeune Louis Marchand et moi-même y participerons.

— Vous gagnerez, vous êtes la meilleure ! s'exclama Élise enthousiaste.

— Vous n'avez point entendu les autres ! me défendis-je. Il paraît que Mlle Couperin a une voix magnifique, quant à Favalli, il est incomparable !

— Ah, mais si vous partez toujours battue, vous n'arriverez à rien ! s'emporta Élise. Et puis, pour une fois, laissez donc le chant de côté. Ce divertissement nous donnera l'occasion de parler à ma mère et d'apprendre peut-être quelque chose sur la vôtre. C'est le plus important, non ?

Elle avait encore raison et je la remerciai chaleureusement.

Je mis beaucoup de temps à m'endormir. Tantôt, je pensais à l'instant où je devrais prouver mes capacités vocales devant la Cour et le Roi, tantôt je pensais à l'instant où il me faudrait avouer que si j'ignorais qui était ma mère, mon père était le Roi. Car enfin, si je voulais mettre les personnes susceptibles de m'aider sur la piste de ma mère, cette précision était capitale.

Mais ébruiter ce secret n'était-ce pas attirer sur moi le courroux royal ?

Me fâcher définitivement avec mon père ?

Alors que faire ?

En voulant m'épauler, Élise n'allait-elle pas déclencher un cataclysme qui m'éloignerait définitivement de mon père ?

Le jour du divertissement, c'est une bonne dizaine de carrosses qui quitta Saint-Germain. Il faisait beau et il m'avait semblé que le Roi Jacques avait abandonné son humeur chagrine. Élise, décidément au courant de tout, prétendit que c'était parce qu'il préparait en secret une grande offensive pour récupérer le royaume d'Angleterre. La Reine se réjouissait de revoir Versailles dont elle disait que c'était le plus beau château qu'il lui avait été donné de voir.

Avant de s'installer dans le carrosse royal, elle m'avait glissé :

— Louise, vous défendrez avec M. Abell les couleurs de l'Angleterre. Je compte sur vous pour être la meilleure. Notre pauvre pays est fort à plaindre, et il me serait agréable qu'au moins, en musique, il regagne son rang.

Bien qu'il me semblât curieux de représenter l'Angleterre, alors que je ne connaissais rien de ce pays et que je n'en parlais même pas la langue, je lui promis de faire de mon mieux.

La grande allée pavée conduisant au château était tellement encombrée de carrosses, calèches, chaises à porteurs, charrettes, que nous mîmes plus de vingt minutes à parcourir les derniers mètres. Les cochers s'apostrophaient, juraient, les roues s'entre-choquaient, une charrette de bois versa sur le côté. Cette animation m'affola et ravit mon amie.

Il est vrai que je n'y étais point habituée. Je n'étais venue qu'une fois à Versailles avec les demoiselles de Saint-Cyr désignées pour jouer la pièce de M. Racine et nous étions passées par les jardins, ce qui nous avait évité la cohue de la ville.

— Regardez ! Il y a aux portes du château beau-coup plus d'échoppes qu'à Saint-Germain ! me fit remarquer Élise. Quel dommage que nous n'ayons pas le temps de nous y arrêter !

Il y avait effectivement, adossées au mur de l'avant-cour et aux grilles du parc, des dizaines d'échoppes : perruquiers, tapissiers, repasseuses, marchands de chandelles, de fagots, de fleurs, de rubans, de colifichets, limonadiers, libraires, mer-cières... et même une boutique où les messieurs pouvaient louer une épée leur permettant d'entrer dans le château.

Dès que j'eus posé pied à terre, je levai, malgré moi, les yeux vers les fenêtres de l'appartement de Mme de Maintenon au premier étage. C'est là que mes amies et moi avions répété *Esther*.

Élise, quant à elle, se précipita dans le jardin, en quête de sa mère.

— Il y a plusieurs semaines que je ne l'ai point vue et j'ai hâte de l'embrasser.

Lorsque Mme de Langeron surgit au détour d'une allée, Élise poussa un cri de joie et se jeta dans ses bras.

— Il y a bien du bonheur à avoir une fille aimante, murmura la Reine Marie, un soupçon de tristesse dans la voix.

Je crus bon d'ajouter pour chasser sa mélancolie :

— Mais, Madame, vos dames d'honneur vous aiment toutes comme si vous étiez leur mère.

Ce à quoi elle répondit :

— Pas toutes, mon enfant... mais si vous m'aimez un peu, c'est déjà une consolation. Hâtons-nous, ces encombrements nous ont mises en retard et le concert va commencer.

Tout à coup, j'aperçus, descendant d'une voiture à six chevaux, deux silhouettes qui ne m'étaient pas inconnues : l'une était celle de Marguerite de Caylus, l'autre était Charlotte.

Oubliant toute retenue, je courus vers mon amie avant même, je crois, qu'elle ne m'ait reconnue.

Le premier mouvement de stupeur passé, elle s'exclama :

— Louise ! Que faites-vous à Versailles ?

En quelques mots, je lui résumai mon existence à Saint-Germain.

— Et vous, votre nouvelle vie vous convient-elle ? lui demandai-je.

— Parfaitement... mais il serait trop long de vous la raconter.

Je sentis pourtant comme une fêlure dans sa voix. D'ailleurs, elle enchaîna rapidement :

— Et votre père ?

— Rien n'a changé. Pour l'heure, je cherche ma mère et j'espère dénicher des indices à Versailles.

— J'aimerais pouvoir vous aider... mais je ne suis pas très disponible. Je ne suis à Versailles que pour peu de temps... j'ai d'autres projets... et...

Une gêne se glissa entre nous, aussi je la dissipai.

— Ne vous inquiétez pas pour moi. J'ai ici quelques amies qui me prêteront main-forte.

Elle sourit, soulagée, m'embrassa rapidement et rejoignit Mme de Caylus qui l'attendait plus loin. Elle se retourna, me fit un geste de la main, comme si elle était désolée de rompre un pacte d'amitié et je ne pus m'empêcher de penser qu'elle aussi avait un problème qu'elle n'avait pas voulu me révéler.

Je n'eus pas le temps de regretter la brièveté de notre rencontre car Élise me fit signe d'approcher et je me dirigeai vers Mme de Langeron.

— Mère, voici l'amie dont je vous ai parlé. Elle cherche sa mère et aurait besoin de votre secours.

Élise n'y allait pas par quatre chemins. Elle me donnait d'emblée le rôle de quémandeuse et cela m'incommoda. Mme de Langeron ne fit aucun cas de la rougeur qui avait envahi mes joues et, me prenant sans façon par un bras, alors que sa fille était accrochée à son autre bras, elle nous entraîna vers un bosquet pour que nous puissions discuter à notre aise.

— Élise m'a fait porter un courrier pour m'expliquer votre situation. Hélas ! votre date de naissance est un indice trop mince pour espérer retrouver celle qui vous a mise au monde et si vous n'avez rien de plus... il vaut mieux abandonner tout espoir.

Tout en essayant de préserver le plus gros du secret, j'insistai :

—Ma mère devait fréquenter la Cour... sans doute dans l'entourage du Roi... peut-être quelqu'un de très proche de Sa Majesté...

— J'ai mené une enquête discrète et personne ne se souvient avoir entendu le nom de Maison-blanche à la Cour. Sans vouloir vous offenser, je pense que votre mère était une fille du peuple dont il est impossible de retrouver la trace.

— Se pourrait-il que je ne porte pas son nom ? suggérai-je

— Peut-être. Votre mère et votre père ont ainsi voulu vous empêcher de remonter jusqu'à eux. Dans ce cas...

Le désespoir me gagna et mon visage s'assombrit.

— Réfléchissez, n'y a-t-il pas un indice pour nous mettre sur la voie ? Son prénom ? Un médaillon venant d'elle ? Un signe distinctif ? Une tache de naissance ?

À chaque énumération, je hochai la tête négativement.

— Alors, il faudra vous résoudre à ne jamais la connaître, soupira Mme de Langeron.

— NON ! criai-je presque malgré moi.

— Et votre père ? N'avez-vous pas une idée de qui il peut être ? reprit Élise.

Je baissai les yeux et murmurai d'une voix à peine audible :

— Si.

— À la bonne heure ! s'exclama Mme de Langeron. Que ne le disiez-vous plus tôt !

Comme je ne me résolvais pas à livrer son nom, Mme de Langeron se méprit et m'encouragea :

— On n'a pas toujours le père dont on rêve, mais je ne suis pas là pour le juger et même s'il est charretier, porteur d'eau ou valet, vous n'avez point à en rougir.

Malgré moi, cette liste de bas métiers me fit sourire et je finis par lâcher :

— C'est le Roi.

Mon amie poussa un cri de surprise et les yeux de Mme de Langeron s'arrondirent de stupéfaction. Elle bredouilla :

— Vous... vous en êtes certaine ?

— Oui. Je le tiens de Mme de Caylus qui le tient de sa tante. C'est pour cette raison que j'ai été reçue à Saint-Cyr.

— Mais bien sûr ! Comment n'y ai-je pas pensé ! Il fallait que vous soyez de bonne noblesse pour être acceptée dans la Maison Royale d'Éducation. La fille d'un bûcheron et d'une femme de chambre ne pouvait assurément pas avoir ce privilège.

Elle tapota le nœud de satin bleu qui ornait le profond décolleté de son bustier bordé de dentelle et enchaîna :

— Il sera bien difficile de découvrir le nom de votre mère, celui que vous portez est assurément un nom choisi pour brouiller les pistes. Je crains que les preuves des fautes de jeunesse du Roi soient à jamais effacées. À présent que Mme de Maintenon veille sur le salut de l'âme de son royal époux, il serait du plus mauvais goût de lui rappeler ses maîtresses ou ses conquêtes d'un soir.

Des larmes de déception coulèrent sur mes joues et je me désolai.

— Alors... il n'y a plus rien à espérer... Mon père m'ignore et je ne connaîtrai jamais ma mère...

Soudain, John Abell fut devant moi, le visage rouge, la perruque de travers.

— Mlle de Maisonblanche, enfin ! vociféra-t-il. Nous vous cherchons partout ! Le concert a débuté et c'est à vous !

Je ne l'avais jamais vu dans cet état. Je m'excusai auprès de Mme de Langeron et courus sur ses talons. Je n'eus point le temps de rectifier ma coiffure ni de me poudrer le visage et c'est essoufflée et chagrine que j'avançai sur la scène pour chanter l'air de Lully que j'avais répété. Ma voix tremblait et se brisait en montant dans les aigus. C'était une catastrophe. L'œil courroucé de mon professeur me le confirma lorsque je descendis les marches me conduisant en coulisses.

— Voilà, me gronda-t-il, le plus sûr moyen de céder votre place à Mlle Couperin.

Je me moquais bien de Mlle Couperin ! Je craignais seulement d'avoir indisposé mon père en lui ayant gâté son plaisir et d'avoir froissé la Reine Marie. Sans compter l'humiliation que je ressentais à avoir affiché ma nullité devant toute la Cour, les princes, les princesses, Mme de Maintenon et peut-être même, ma mère...

Les sanglots me submergèrent et je m'enfuis dans le but de cacher ma détresse au plus profond du parc.

CHAPITRE

11

Je courus droit devant moi, les yeux noyés de larmes, retenant à deux mains le bas de ma robe afin de ne pas connaître, en plus, le déshonneur de tomber. J'entendis vaguement des voix s'étonner :

— Mais enfin, que lui arrive-t-il ?

Comment leur expliquer ? Comment ?

J'étais condamnée au silence et je ne le supportais pas. Mieux valait disparaître, mourir même, plutôt que de savoir mon père si près de moi sans pouvoir le chérir, et d'ignorer à jamais le nom de ma mère.

Je traversai les allées, contournai les bosquets d'où me parvenait le murmure de conversations, ignorai les statues, les massifs floraux, les fontaines qu'en d'autres circonstances j'aurais eu plaisir à admirer.

Enfin, à bout de souffle, à bout de nerfs, je m'effondrai derrière une colonne de marbre du bosquet de la Colonnade.

Je m'y croyais à l'abri pour pleurer à mon aise et décider de mon avenir, auquel je ne voyais que deux issues : me noyer dans le canal tout proche, ou sortir du parc, marcher jusqu'à un couvent et supplier qu'on m'y accueille pour y finir ma vie. Cependant, mon désarroi était tel que je ne parvenais pas à choisir un parti.

Soudain, une main se posa sur mon épaule, je tressaillis.

— Quel énorme chagrin ! me dit une voix masculine.

Dieu quelle honte d'être ainsi surprise, agenouillée contre la pierre, la robe souillée de terre, les yeux rougis, les cheveux décoiffés ! Je cachai mon visage dans mes mains et ne bougeai pas dans l'espoir que le gentilhomme s'éloignât. Il n'en fit rien. Au contraire, il me releva et poursuivit :

— Un galant vous aurait-il meurtri le cœur ?

Je hochai la tête négativement en m'efforçant de couper court à mes pleurs.

— Vous aurait-il manqué de respect ?

Je hochai encore la tête en tapotant l'étoffe de ma jupe pour en chasser la poussière.

Le jeune homme qui se tenait devant moi était de taille moyenne, plutôt malingre, mais son justau-corps de velours pourpre brodé de fils d'or et d'argent et les dentelles fines ornant ses manches et son jabot montraient qu'il était d'une grande famille.

Il me tendit un mouchoir de dentelle dont j'osai à peine me tamponner les yeux. Je vis que, d'un geste autoritaire, il éloignait les gens de sa suite. Un seul gentilhomme resta à ses côtés. Je supposai qu'il s'agissait de son meilleur ami.

Ensuite, il s'inclina devant moi et m'assura :

— Eh bien, à partir de ce jour d'hui, je serai votre chevalier et quiconque vous importunera tâtera du fil de mon épée.

Il n'avait point un ton moqueur et, curieusement, il m'inspira confiance. Ne voulant pas passer pour une écervelée terrassée par une banale histoire sen-timentale, je précisai :

— Je... je vous remercie, monsieur. Un galant n'est point la cause de mon chagrin...

Et parce que mon secret était trop lourd et qu'il me parut sans conséquence d'en livrer une part infime à quelqu'un que je ne verrais plus et qui l'oublierait aussitôt, j'ajoutai :

— Je recherche ma mère.

S'imaginant sans doute que j'étais l'une de ces oies blanches à peine sorties de leur couvent qui s'affolent dès qu'elles ne sont plus dans les jupes de leur mère, il se tourna vers son compagnon et plaisanta :

— Allons, madame votre mère n'est pas perdue. Le parc est vaste, mais elle finira par reparaître.

— Il ne s'agit pas de cela, monsieur, elle a disparu de ma vie depuis plus de dix ans et mon plus cher désir est de la revoir.

— Je vous prie de bien vouloir excuser ma légèreté. Pour me faire pardonner, je vous promets d'exposer votre cas au Roi. Le concert est terminé et il ne va pas tarder à venir par ici pour admirer la Colonnade.

Cette idée m'affola. Je cherchai à fuir, mais le gentilhomme me tenait fermement la main.

— Ne soyez pas si farouche, je vais vous présenter au Roi, mon père, me dit-il.

Je crus défaillir et je bafouillai :

— Le Roi... votre père ?

— Si fait. Il est vrai que je ne me suis pas présenté : Louis-Auguste, duc du Maine, et vous ?

Je savais que ce prince avait pour mère la marquise de Montespan. C'était un bâtard, comme moi, mais le Roi l'avait légitimé, lui. Prise de court, je lâchai :

— Louise de Maisonblanche... J'ai déjà été présentée au Roi... j'ai séjourné dans la Maison Royale d'Éducation et...

— Si vous le lui aviez demandé, je ne doute point que Sa Majesté vous aurait accordé l'assistance de sa police pour retrouver votre mère. Il est le mieux placé pour cela !

Le duc ne croyait pas si bien dire.

J'étais de plus en plus paniquée par la tournure que prenaient les événements, je m'empressai de décliner son offre :

— N'en faites rien, je vous en prie. Je ne veux point importuner le Roi avec mes problèmes.

— Le Roi ne sait rien refuser à une jolie femme, n'est-ce pas Bertrand ? ajouta-t-il en adressant un clin d'œil malicieux à son ami.

Le jeune homme ébaucha un sourire. Je vis alors qu'il me dévisageait et cela augmenta mon trouble.

Soudain, le Roi s'arrêta devant nous, traînant à sa suite Mme de Maintenon, Mme de Caylus et une foule innombrable de dames et de gentilshommes.

Je plongeai dans une révérence qui devait me couvrir de ridicule, tant ma jupe était tachée, ma coiffure désordonnée et mon visage bouffi.

Le jeune duc salua brièvement son père et lui dit :

— Sire, je viens d'avoir le privilège de rencontrer Mlle de Maisonblanche, qui, comme vous le voyez, est dans un grand tourment. Elle recherche sa mère. Je lui ai promis mon assistance et la vôtre.

J'aurais voulu disparaître dans un trou de souris. Entre mes cils, je vis le visage du Roi se crisper insensiblement. Cependant, gardant sa légendaire maîtrise, il lâcha d'un ton sec :

— Je verrai.

Par cette courte phrase le souverain avait l'habitude de couper court aux sollicitations ennuyeuses.

Il glissa ensuite un mot à l'oreille de Mme de Maintenon et s'éloigna, suivi de la foule des courtisans.

Mme de Maintenon m'empoigna le bras sans ménagement et me gronda :

— Êtes-vous devenue folle, mademoiselle, d'oser contrarier ainsi Sa Majesté ? C'est bien mal La remercier de toutes les bontés qu'Elle a eues pour vous.

— Elle n'est point coupable, c'est moi, Madame, qui l'ai persuadée que le Roi ne serait pas insensible à sa requête.

Mme de Maintenon s'adoucit. Elle avait élevé Louis-Auguste, comme tous les enfants que Mme de Montespan avait eus avec le Roi, et ce n'était un secret pour personne qu'elle l'aimait comme s'il eût été son fils.

— Je reconnais là votre grand cœur, mais je vous saurais gré d'abandonner cette affaire. Il est préférable que Mlle de Maisonblanche ne sache pas qui est sa mère.

Une sueur glacée me recouvrit de la tête aux pieds. Si j'avais pu imaginer un instant que Mme de Maintenon pouvait être ma mère, son aveu me laissait à penser qu'elle ne l'était point. À moins qu'il ne s'agît d'une ruse pour éloigner mes soupçons... Mais dans ce cas, quel était son but ?

Choquée, je restai muette. C'est le duc du Maine qui demanda :

— Vous connaissez donc son nom ?

— Certes. Et ce nom ne doit plus être prononcé à Versailles, ni à plus forte raison devant Sa Majesté.

Je me sentais de plus en plus mal, d'autant que la marquise m'ignorait, s'adressant à son cher duc comme si j'avais été transparente.

— A-t-elle donc commis un crime ? insista le jeune duc.

— C'est cela ! lâcha la marquise avant d'allonger le pas pour rejoindre le cortège.

Le ciel, les arbres, les nuages se mirent à tournoyer et je m'évanouis.

Lorsque j'ouvris les yeux, c'est le visage inquiet d'Élise que je vis en premier. Le duc du Maine avait disparu. Son ami était debout à mon côté.

Tout me revint rapidement en mémoire et je ne pus retenir mes larmes. Élise, qui n'était au courant de rien, me réconforta de paroles creuses, m'aidant à me relever et ordonnant à un laquais d'aller quérir un verre d'alcool pour me redonner des couleurs. L'ami du duc me prit galamment la main et, s'inclinant devant moi, il me dit :

— Permettez-moi de me présenter : Bertrand de Prez, chevalier et seigneur de Montfort.

J'étais mal à l'aise de recevoir les hommages de ce beau jeune homme dans l'état où j'étais. Il n'en eut cure et poursuivit :

— C'est bien malgré moi que j'ai compris votre pénible situation, et je vous propose mon aide.

— Je vous remercie, monsieur, mais le duc du Maine m'a déjà promis la sienne.

— Le duc du Maine, mon ami, a un grave défaut. C'est un beau parleur, dont toutes les demoiselles de la Cour sont éprises et je crains fort qu'il n'oublie sa promesse dans d'autres bras que les vôtres.

— Oh, monsieur ! m'écriai-je scandalisée.

— Monsieur de Prez a raison, intervint Élise. Il vaut mieux que vous ne comptiez pas sur le duc.

— Je me devais de vous mettre en garde, reprit le chevalier. Vous me semblez si... si pure et innocente... que... enfin, je suis à votre service... Faites de moi ce qu'il vous plaira.

— Monsieur..., bredouillai-je, gênée et conquise par tant de charme et de gentillesse.

— Je me fais fort d'avoir, sous peu, des indications au sujet de votre mère.

— Hélas ! Il semble que ma mère ne soit pas... Mme de Maintenon a parlé de... crime !

— Ne vous alarmez pas, je vous en prie. Un crime à la Cour, c'est aussi bien ne pas avoir respecté l'étiquette ou avoir porté un chapeau démodé.

— Vous... vous croyez ?

— Pour le savoir, il me faudra mener une enquête... Mme de Caylus est une amie et elle connaît tout des intrigues de la Cour. Quant à mon parrain, c'est M. Bontemps, le premier valet de chambre du Roi. Il vit dans l'intimité de Sa Majesté et il acceptera sans doute de me faire quelques révélations. Alors, charmante enfant, séchez vos pleurs et accordez-moi un sourire. C'est tout ce que j'exige en échange de mon dévouement.

J'esquissai un timide sourire. Mais le mot « crime » était gravé au plus profond de moi et il commençait déjà à me ronger.

12

Après ce malheureux épisode, je sombrai dans une mélancolie d'où il me semblait impossible de sortir. J'étais certaine d'avoir incommodé le Roi et d'avoir fâché Mme de Maintenon. Et la seule chose que j'avais apprise sur ma mère me noyait dans le désespoir. De plus, je ne croyais pas à la promesse de M. de Prez et encore moins à celle du duc du Maine. Tout cela n'était que badinages destinés à impressionner une demoiselle peu au fait des jeux de la Cour.

Je me disais que j'avais eu tort de quitter la protection de Saint-Cyr, mes amies, Jeanne, Hortense et Isabeau, que retrouver ma mère était impossible et que mon acharnement risquait de me fermer définitivement les portes de Versailles.

Mais, dans le même temps, je me disais que ma mère était peut-être toute proche et qu'il serait dommage de ne pas saisir la chance de la connaître enfin.

Cependant, si elle avait vraiment commis un crime... ce serait trop horrible ! Je ne supporterais pas d'être la fille d'une criminelle. Le déshonneur me tuerait.

En y réfléchissant bien, il me sembla peu vraisemblable que Mme de Maintenon fût ma mère. Elle jouissait des faveurs du Roi et n'était donc coupable d'aucun méfait. Restait Mme de Montespan. Elle avait été chassée de la Cour depuis plus de dix ans. J'en ignorais le motif mais, après tout, il se pouvait que ce fût pour un fait grave, tenu secret.

Ces doutes, ces incertitudes, ces atermoiements étaient un supplice.

La Reine Marie avait eu la grande bonté de ne me faire aucun reproche pour avoir si mal représenté l'Angleterre lors du concours de chant. Au contraire, elle me questionna gentiment :

— Je vois bien, Louise, que vous avez un souci. Confiez-vous à moi, cela vous soulagera.

Mettre la Reine au courant de ma situation familiale me parut impossible. C'était, en quelque sorte, compromettre mon père en divulguant, qu'en plus de ses maîtresses en titre, il avait eu d'autres aventures. Tout le monde le savait, mais personne n'aurait osé le formuler à voix haute. Et ce n'était pas à moi de le faire.

— Je remercie Votre Majesté... ce n'était qu'une indisposition passagère dont je vous supplie de m'excuser.

Marie de Modène fit semblant de me croire et m'annonça :

— Le Roi Louis me recommande un jeune prodige de vingt-deux ans, François Couperin. C'est sa cousine, qui a le même âge que vous, qui a gagné le concours. Ils viendront tous deux donner un concert lors de la grande fête que nous organisons pour célébrer l'anniversaire du prince. Il aura trois ans et il goûte déjà fort la belle musique. J'aimerais que vous nous interprétiez aussi quelque chose. J'ai besoin de distraction calme et ma grossesse m'interdit la danse.

John Abell m'avait parlé de M. Couperin. Il acceptait mal qu'un Français vînt empiéter sur son territoire. Aussi prépara-t-il un morceau très difficile de Purcell, histoire de montrer que les Anglais aussi avaient du talent. Il me conseilla d'interpréter un motet de Lully afin d'imposer la suprématie des deux peuples préférés de la Reine : les Italiens dont sa famille était issue et les Anglais dont elle était la Reine.

Je me mis au travail avec acharnement afin d'effacer le souvenir de ma prestation précédente et aussi pour m'éviter de ressasser mes ennuis.

J'y parvenais assez bien lorsque Élise me donna, un soir, un billet.

— Je parie que c'est le chevalier pour lequel vous êtes tombée en pâmoison ! plaisanta-t-elle.

Je grognai :

— Vous savez parfaitement qu'il n'est pas la cause de mon malaise.

— Certes. Mais le billet est de lui. J'en fais le pari.

J'étais heureuse de voir que je m'étais trompée sur le compte de M. de Prez et qu'il n'oubliait pas sa promesse. Gênée et émue, je ne me décidai pas à ouvrir ce poulet[1]. Le premier que je recevais de ma vie.

Enfin, je fis sauter le cachet de cire et, m'étant approchée de la chandelle, je lus :

Mademoiselle,
Pardonnez la liberté que je prends de vous écrire,
mais j'ai quelques nouvelles qui devraient vous satis-
faire. Cependant, il me semble imprudent de les

---

1. Billet doux.

confier à ce papier. Je serai demain soir à Saint-Germain dans la grotte du dragon. Je vous y attendrai jusqu'à dix heures.

Votre dévoué chevalier de Prez.

Élise piaffait d'impatience à mon côté et je dus lui lire le billet à haute voix. Aussitôt, elle s'écria :

— J'en étais sûre ! Il est amoureux de vous !

— Pas du tout. Il doit avoir des révélations à me faire au sujet de ma mère.

— Il aurait pu les écrire.

— Le crime de ma mère est sans doute si atroce qu'il n'a pas osé le coucher sur le papier.

— Ma pauvre amie ! Cette révélation sera bien pénible pour vous.

— Assurément. Pourtant, tout me semble préférable à l'incertitude dans laquelle je suis.

Les deux journées qui me séparaient de ce rendez-vous furent abominablement longues. Je ne pus tirer plus de trois notes correctes de mon violon et ma voix déraillait souvent, ce qui mit M. Abell en colère. Je fus si maladroite au jeu de trou-madame[1] que la Reine se moqua de moi et je cassai même une tasse à l'heure du thé.

Enfin, vint la soirée tant attendue.

---

1. Sorte de petit billard.

Heureusement, la Reine, fatiguée par sa grossesse, se retira tôt dans ses appartements, rendant la liberté à ses demoiselles d'honneur. Je grimpai dans la soupente avec Élise pour ne pas attirer l'attention des dames de service et des gardes.

Mon amie m'avait proposé de m'accompagner, mais elle avait pris, le matin même, un refroidissement. Elle éternuait toutes les minutes, ce qui risquait de nous faire remarquer lorsque nous quitterions le château.

Elle me laissa donc, à regret, partir seule.

Je jetai un mantelet sur mes épaules et, rabattant le capuchon sur ma chevelure, je me faufilai à l'extérieur par la porte est. Je longeai le château sans traverser le parc et j'empruntai les escaliers conduisant au Château Neuf. Je n'avais pas pris de flambeau pour ne point me signaler aux gardes, comptant sur la lune pour m'éclairer. Mais le ciel était voilé et j'avançais avec précaution afin de ne pas manquer une marche. Je n'avais pas envie de me présenter devant le chevalier dans le même état que lors de notre première rencontre, la robe souillée et les cheveux défaits. Je passai devant les grottes creusées dans le mur de soutènement de la terrasse. Je m'arrêtai à la quatrième. J'hésitai. Et s'il n'était pas venu ? Et si un autre que lui était là, profitant de ma naïveté pour attenter à ma pudeur ?

Dans le noir, le dragon me terrifia. Il me sembla de mauvais augure et je m'apprêtais à faire demi-tour lorsqu'un homme jaillit de l'ombre où il était caché. Je poussai un cri d'effroi.

— Chut ! me souffla la voix du chevalier, n'ayez pas peur, c'est moi.

Je soupirai de soulagement. J'avais tant hâte d'entendre ce qu'il avait à m'apprendre sur ma mère que j'oubliai toute prudence et le suivis dans le fond de la grotte.

— Comment vous sentez-vous ? me demanda-t-il galamment.

— Mieux.

— Vous m'en voyez heureux. Ce que j'ai à vous dire n'est point aisé et...

— Ma mère est une criminelle, c'est cela ?

Il éluda ma question et reprit :

— Tout d'abord, Mme de Caylus m'a informé que votre père était le Roi, mais je pense que vous le saviez.

— Oui, depuis peu.

— Et vous vous doutez bien qu'avec un tel père... les informations au sujet de votre mère sont... sont des secrets d'État. Au moindre faux pas, je risque la Bastille !

La vision du chevalier embastillé par ma faute m'arracha un cri. Il posa prestement sa main gantée sur ma bouche et reprit :

— Néanmoins, grâce à Mme de Caylus qui connaît tous les potins de la Cour et à mon parrain qui avec mille précautions a levé un coin du voile, je suis en mesure de vous apprendre qui est votre mère.

— Vite, parlez !

— Je préfère vous avertir que ce que vous allez entendre n'est pas... enfin... est assez pénible. Êtes-vous prête ?

J'eus l'audace de poser une main sur la sienne et je soufflai :

— Oui.

— Votre mère est une ancienne dame d'honneur de Mme de Montespan. Elle a pour nom Mlle Desœillets. Ses parents étaient comédiens.

Comme délivrée d'un énorme poids, je souris avant d'ajouter :

— C'est tout ! Est-ce que son crime est simplement de n'être point noble ?

— Hélas ! non. Il est beaucoup plus grave... Il est même... impardonnable... et je ne sais si je dois...

À cet instant précis, une voix autoritaire ordonna :

— *Halt ! Who goes there*[1] *?*

Et trois gardes anglais firent irruption dans la grotte.

1. « Halte ! Qui va là ? »

Je poussai un hurlement de surprise et je me cachai naïvement le visage entre les mains. Deux gardes m'empoignèrent assez violemment sans que pourtant je me débatte. Pendant ce temps, j'eus la cruelle surprise de voir que mon beau chevalier parvenait à s'enfuir. Le troisième homme partit à sa poursuite en s'époumonant :

— *Halt or I'll kill you*[1] *!*

J'entendis des bruits de bottes qui martelaient rapidement le sol, des cris, puis plus rien.

J'étais, quant à moi, solidement maintenue par les poignets. Des larmes de honte et de colère glissaient sur mes joues. Pourquoi donc M. de Prez avait-il fui comme un coupable au lieu d'expliquer la situation, quitte à mentir sur le véritable objet de notre rencontre ? Ne voulait-il point me compromettre ? Avait-il quelque chose à se reprocher pour craindre ainsi les gardes du Roi d'Angleterre ? Pourquoi m'abandonner en si fâcheuse posture et qu'allais-je pouvoir dire pour ma défense ?

Toutes ces questions tournaient en boucle dans ma tête tandis que les gardes me conduisaient au château et m'enfermaient dans un petit salon.

— Je suis Louise de Maisonblanche, répétai-je, dame d'honneur de la Reine. Je ne faisais rien de mal.

---

1. « Halte ou je vous tue ! »

Ils restaient impassibles. Sans doute ne comprenaient-ils pas le français.

J'espérais que dès que j'aurais réussi à m'expliquer, on me permettrait de regagner ma soupente sans que tout le château ne soit informé de ma mésaventure. Mais plus les minutes passaient, plus mon angoisse augmentait.

La porte s'ouvrit brusquement et le Grand Chambellan apparut.

Pour qu'on ait jugé bon de le réveiller à cette heure tardive, c'est que mon cas devait être grave.

— Eh bien, mademoiselle, vous voilà prise sur le fait ! me lança-t-il avec assurance.

— Que me reproche-t-on, monsieur ?

— De comploter pour enlever le fils de Leurs Majestés !

Je m'étranglai d'indignation :

— Moi ? Enlever le prince ? Vous n'y pensez pas ? J'ai été nommée dame d'honneur de la Reine et j'ai toute sa confiance.

— Justement. Vous avez réussi à endormir sa méfiance. Mais nos services secrets nous avaient informés de l'imminence d'un kidnapping de Son Altesse.

— Et... et vous pensez que je suis la coupable ?

— En tout cas, vous êtes complice. Votre partenaire s'est envolé. Et si vous ne voulez pas perdre la vie à la place de ce gredin, je vous conseille de nous donner son nom et l'endroit où il se cache.

Je m'effondrai en larmes. Comment allais-je me sortir de cette abominable situation ?

13

Toute la nuit, le Grand Chambellan m'interrogea. La tension nerveuse, la fatigue me réduisirent au fil des heures à l'état de loque. Je ne savais plus quel argument avancer pour ma défense et je me rendais bien compte que le discours que je tenais n'était point cohérent. Tantôt j'affirmais que l'insomnie avait guidé mes pas par hasard jusqu'à la grotte, tantôt j'avouais avec honte y avoir été conviée par un galant. Une autre fois je soutenais que c'était pour affaire personnelle, n'ayant rien à voir avec la famille d'Angleterre. Je m'embrouillais dans mes explications, je pleurais, je tempêtais ou je me murais dans le silence.

Le Grand Chambellan me menaça de me soumettre à la question[1]. Sort réservé aux régicides.

Je tremblais de la tête aux pieds à cette perspective, mais ne me résolvais pas à m'accuser d'un crime que je n'avais pas commis.

— Quelques semaines dans un cachot humide et sans lumière vous feront changer d'avis ! me lança-t-il.

On me conduisit dans une pièce étroite, attenante à la salle des gardes et qui, je le compris, servait de cachot aux voleurs et autres scélérats arrêtés dans le château avant qu'ils ne soient transférés dans une prison. J'étais rompue mais ne parvins cependant pas à dormir. L'angoisse et les pleurs me tinrent éveillée tout le restant de la nuit.

Au matin, un garde m'annonça :

— Son Altesse la Reine Marie veut vous voir.

Je repris espoir. Je tapotais de la main le tissu froissé de ma jupe, remis en place quelques mèches de ma chevelure et je le suivis jusqu'au salon où m'attendaient la Reine et sa première dame d'honneur. Curieusement, c'est le regard noir et dur de Mme de Monicelli qui me frappa le plus. La Reine avait, me sembla-t-il, une mine triste mais point d'animosité à mon égard. Elle m'accueillit par ces paroles :

1. Torture destinée à arracher les aveux des prisonniers.

— Louise ! Que m'apprend-on à votre sujet ? Que vous complotiez pour enlever le prince ?

— Oh, non, Votre Majesté, c'est faux !

— Mme de Monicelli m'a fait un rapport accablant.

Mon regard croisa celui de la première dame d'honneur qui me transperça si cruellement que j'en ressentis une douleur au niveau de l'estomac. J'essayai de ne pas me laisser impressionner et je répliquai :

— Mme de Monicelli ? Mais... je ne l'ai point vue... C'est le Grand Chambellan qui m'a questionnée.

— Mme de Monicelli a un jugement sûr. C'est à elle que le Grand Chambellan a fait son rapport très tôt ce matin et c'est elle qui m'a rapporté vos propos.

La première dame d'honneur, qui détestait les Françaises au service de la Reine, avait profité de l'occasion pour m'accuser des pires maux.

Habilement, elle ne prit pas la parole, me laissant me débattre pour prouver mon innocence.

— Sauf votre respect, Majesté, je vous assure que Mme de Monicelli est dans l'erreur.

— Mais alors, mon enfant, pourquoi refuser d'expliquer ce que vous faisiez dans une grotte avec un homme qui s'est enfui à l'approche des gardes ?

— C'est-à-dire que...

— S'il s'agissait d'un rendez-vous galant... cela restera entre nous et votre réputation n'en souffrira pas.

— Non point, Majesté.

— Alors, parlez !

Avais-je le droit de révéler la vérité à la Reine ? Quelle serait sa réaction si je lui annonçais que mon père était le Roi de France et que j'étais à la recherche de ma mère ? Fâchée d'avoir été trompée par Mme de Maintenon, elle pouvait faire un esclandre et me renvoyer sur-le-champ.

Je ne parvenais pas à réfléchir calmement. La terrifiante nuit que je venais de passer en était la cause.

— Votre silence est un aveu, laissa tomber Mme de Monicelli.

La Reine l'approuva d'un hochement de tête.

Mes larmes, qui avaient fini par se tarir vers la fin de la nuit, refluèrent en sanglots convulsifs et je hoquetai :

— Je vous en prie... Majesté... Je... je suis innocente...

— Trop de preuves vous accablent... Pourtant, j'avais confiance en vous... et je vous aimais comme ma fille...

— Brutus a bien trahi César ! persifla la première dame d'honneur.

Soudain, en voyant le rictus de mépris sur les lèvres de Mme de Monicelli, une pensée horrible me vint : et si elle et M. de Prez étaient complices ? Sous le prétexte de révélations, le chevalier m'avait attirée dans un traquenard. Son but étant de me faire arrêter et soupçonner de félonie pour satisfaire l'ambition de l'Italienne ! C'est pour cela qu'il avait fui !

Cette perspective accentua mon trouble et je bafouillai :

— Non, moi, je n'ai pas trahi... Mais mon secret est si... si imposant... que je ne peux le livrer à personne...

La Reine s'adoucit brusquement, et m'annonça :

— Je vais demander l'avis de Mme de Maintenon. Selon sa réponse, vous serez embastillée ou... pardonnée.

Je tombai à genoux et baisai le bas de sa jupe.

Je pensai tout d'abord que c'était la meilleure solution. Mme de Maintenon me connaissait bien. Elle me savait incapable d'une vilenie de cette sorte. Elle expliquerait mon cas à la Reine et tout redeviendrait comme avant. Puis, en y réfléchissant, une autre solution s'imposa à moi. La marquise pouvait aussi profiter de cette situation pour se débarrasser de moi et de mes recherches gênantes.

La tête me tourna. J'avais l'impression d'être une souris prise au piège, que plusieurs chats se disputaient avant de la dévorer.

La Reine me releva, elle semblait ennuyée. Finalement, elle me dit :

— Louise, je ne vous mets pas aux arrêts, mais je vous demanderai de ne pas quitter le salon bleu.

Je promis. De toute façon, il y avait un tel charivari en moi que j'étais incapable de prendre une décision, fût-ce celle de m'enfuir.

J'étais prostrée sur un pliant lorsque Élise entra dans la pièce un plateau à la main.

— J'ai obtenu l'autorisation de vous apporter le déjeuner, m'annonça-t-elle.

Je n'avais pas faim. Cependant, comme je la remerciais, elle m'interrogea :

— Que s'est-il passé, Louise ? Tout le palais bruit de rumeurs à votre sujet, tantôt on vous accuse d'avoir voulu assassiner le prince, tantôt on vous soupçonne d'être une fille de mauvaise vie !

Je lui racontai mon aventure. Elle s'indigna :

— Et M. de Prez ne vous a point défendue ? C'est un goujat !

Curieusement, j'eus du mal à supporter qu'Élise calomnie le chevalier — bien que l'ayant accusé moi-même quelques minutes plus tôt — et, peut-être pour me rassurer, je le défendis :

— Il a certainement de bonnes raisons.

Élise leva les yeux au plafond et conclut :

— Aucune n'est excusable puisque sa fuite vous met dans le pire des embarras. Pourquoi n'avoir rien dit à la Reine ? Elle est si bonne avec vous !

— Parce qu'il ne faut surtout pas que le Roi apprenne que je fouille dans son passé. Cette indélicatesse me fermerait son cœur à jamais !

— Que vous souciez-vous d'un père qui vous ignore et d'une mère qui vous a abandonnée ! s'emporta mon amie. Pensez d'abord à vous !

Cette phrase me fit l'effet d'une gifle. Élise n'avait-elle pas raison ? Ne courais-je pas après des chimères et ne devrais-je pas me satisfaire de montrer mes talents de chanteuse ? J'étais sans doute en train de gâcher ma chance d'intégrer la Musique de la Chambre : mon grand rêve. Mais n'était-il pas trop tard ?

— Je ne peux rester longtemps, murmura Élise. Je vais faire porter un billet à ma mère pour l'informer de votre infortune. Puisqu'il semble que M. de Prez soit un ami du duc du Maine, elle pourra peut-être supplier le prince de vous tirer de ce mauvais pas.

Pour la première fois depuis mon arrestation, l'étau qui me broyait la poitrine se desserra un peu et je parvins à sourire.

— Ah, Élise, vous êtes une amie précieuse.

Elle m'embrassa et me lança avant de quitter la pièce :

— Courage !

Vaincue par la fatigue, je dus m'assoupir. Un bruit de pas et de conversation me tira de ma torpeur, puis la porte, en s'ouvrant brusquement, me réveilla tout à fait.

Mme de Maintenon se tenait devant moi, le visage sévère :

— Eh bien, que m'apprend-on ? Que vous vous cachez la nuit dans les grottes du Château Neuf ? Que vous complotez contre le prince ? Que vous vous compromettez avec le premier venu ?

Je me jetai à ses pieds et, consciente que je jouais une carte importante, j'assurai avec une force dont je ne me serais pas crue capable :

— N'en croyez rien, Madame, je suis innocente !

La marquise ne me releva pas, me laissant à moitié allongée dans une position humiliante. Elle ordonna aux dames d'honneur qui l'avaient suivie dans le salon de sortir, puis elle m'interrogea sèchement :

— Vous étiez bien cette nuit dans la grotte du Dragon ?

— Oui, mais...

— Et avec un homme qui s'est volatilisé à l'approche de la garde ?

— Oui, mais... ce n'est point ce que vous croyez.

Je me relevai sans en être priée. J'en avais assez d'être humiliée, de n'être pas crue, d'être la fille de personne et de devoir encore et toujours me taire. Soudain j'explosai :

— J'étais en compagnie de M. Bertrand de Prez, chevalier et seigneur de Montfort. Il était venu m'apprendre qui était ma mère.

La marquise pâlit, mais parfaitement maîtresse d'elle-même, droite et digne, elle lâcha du bout des lèvres :

— Vous savez donc qui est votre mère ?

— Oui. Mlle Desœillets, une dame d'honneur de Mme de Montespan.

Mme de Maintenon soupira comme si elle acceptait d'avoir perdu la partie et sa voix s'adoucit.

— Parmi toutes les demoiselles élevées à Saint-Cyr, vous avez une place à part dans mon cœur, Louise... C'est pour vous protéger que j'ai gardé le secret de votre naissance. Parce qu'il n'est pas aisé d'être à la fois fille de Roi et fille de... fille de Mlle Desœillets.

Elle posa une main sur mon bras et plongea son regard dans le mien.

— Alors, Louise, je vous en conjure, ne cherchez plus votre mère. Vous connaissez son nom. Cela devrait vous suffire. En poussant plus avant vos investigations, vous y perdriez le bonheur de vivre dans l'ombre du Roi.

— Ah, Madame ! m'exclamai-je. Pourquoi ne pas me dire franchement ce dont on accuse ma mère ?

— Je ne le puis, mon enfant... ce serait trop cruel. Il vaut mieux l'oublier, croyez-moi !

— Mais enfin, vous rendez-vous compte que vous me demandez d'oublier ma mère !

— Je n'ai jamais eu d'amour de la mienne et cela ne m'a pas empêchée de conduire assez bien ma vie. Donnez-vous au chant où vous excellez et faites plaisir au Roi en interprétant pour lui les grands airs qu'il affectionne. Cela, je vous l'assure, suffira à vous occuper avant que je vous choisisse un bon parti.

Elle m'avait complètement retournée. Aucune pensée logique ne parvenait à mon cerveau. Elle acheva à son avantage la discussion.

— En ce qui concerne les accusations qui vous accablent, ne vous en souciez plus. Je me porterai garante de votre moralité auprès de la Reine. En échange, je veux que vous vous engagiez à cesser vos recherches.

Comme je ne répondais pas, elle insista :

— Me promettez-vous de ne vous consacrer qu'à la musique et de laisser tomber toutes... toutes vos chimères ?

J'hésitais. Elle s'approcha, me serra contre elle et me chuchota à l'oreille :

— Allons, Louise, c'est pour votre bien, pensez au Roi.

Je pensai au Roi et je soufflai :

— Je promets, Madame.

Mais pourrais-je tenir cette promesse ?

CHAPITRE

14

J'en doutais.

Je ne pensais qu'à ma mère et surtout à l'acte ignominieux qu'elle avait dû commettre pour encourir une telle disgrâce. Je me demandais s'il valait mieux que je l'oublie pour ne pas subir son sort ou que j'emploie toutes mes forces à la retrouver pour l'aider à supporter cette épreuve.

Ne réussissant pas à trancher, j'essayai de faire abstraction de mes malheurs pour me consacrer à la musique.

Peu après le départ de Mme de Maintenon, la Reine Marie m'avait fait appeler dans ses appartements et m'avait à nouveau parlé avec bienveillance.

— Ma chère enfant, Mme de Maintenon m'a informée de votre situation. Vous auriez dû m'ouvrir votre cœur. Je vous aurais comprise.

Je baissai la tête et murmurai :

— Je n'ai point osé, Votre Majesté.

— N'ayez pas honte. Vous n'êtes en rien responsable de votre infortune et si votre mère a mal agi, vous pouvez vous glorifier d'avoir un père Roi de France.

Je ne lui avouai pas que c'était justement le destin de ma mère qui me préoccupait.

Elle conclut l'entretien en me lançant d'un ton enjoué :

— Eh bien, c'est une affaire réglée. Vous n'êtes pas une espionne et vous allez donc continuer à nous charmer par votre voix d'ange.

Je lui souris et, m'apercevant de la mine défaite de Mme de Monicelli, j'accentuai mon sourire avant d'ajouter :

— Je remercie Votre Majesté de n'avoir point écouté les médisances colportées à mon sujet et je l'assure de mon entière loyauté.

Bientôt le château de Saint-Germain fut en effervescence pour préparer dignement l'anniversaire du jeune prince. De partout on s'activait pour monter des boutiques de bois et les décorer pour y abriter les dames de la noblesse qui vendraient à d'autres dames aussi riches des bijoux, des fleurs, des rubans. Jouer à la marchande était très à la mode. D'autres baraques accueilleraient des loteries où tout le monde espérerait gagner des lots de valeur. Les jardiniers déplaçaient des massifs, plantaient des giroflées et des renoncules d'or, taillaient la moindre branche rebelle susceptible de troubler l'harmonie d'un bosquet et disposaient des milliers de bougies pour éclairer les allées bien ratissées.

À dire vrai, on ne savait plus où se mettre pour ne pas entendre les coups de marteau et ne pas être bousculé par des valets pressés. M. Abell et moi-même fûmes chassés du théâtre par des ouvriers qui venaient installer les décors pour une pièce d'un certain M. Shakespeare, un dramaturge anglais.

Je ne vis pas Élise de la journée, elle devait être prise par son service auprès de la Reine et j'étais occupée par les dernières répétitions. Afin d'honorer le Roi de France, convié à la fête, M. Abell avait choisi d'interpréter, entre autres, un air sérieux : *Profitez du printemps* dont les paroles étaient de M. Molière et la musique de M. Charpentier[1]. Depuis la mort de Lully, en 1687, M. Charpentier était à nouveau à l'honneur à la Cour et c'était tant mieux parce que je goûtais fort sa musique.

1. Compositeur français (1643-1704).

Plus la soirée approchait, plus j'étais nerveuse. Et ne pas commettre de fausse note n'était pas le seul motif de mon anxiété.

J'appréhendais de revoir le chevalier de Prez. J'espérais qu'il n'aurait pas l'outrecuidance de se présenter à moi après m'avoir si lâchement abandonnée dans la grotte, mais je craignais aussi qu'il cherche à me parler, inventant je ne sais quel mensonge pour excuser sa conduite.

J'appréhendais aussi que le Roi, informé du scandale que j'avais provoqué malgré moi en cherchant l'identité de ma mère, ne me marque sa colère ou son mépris.

Enfin, j'appréhendais de ne pouvoir tenir ma promesse en profitant de la venue des gens de la Cour pour chercher le moindre indice pouvant me conduire à ma mère. Si Mme de Caylus était parmi les invités, il serait dommage de ne pas tout tenter pour lui parler, car sa réputation de commère me laissait à penser qu'elle savait ce dont on accusait ma mère.

Dès que les carrosses arrivèrent et déversèrent le flot des invités dans la cour du château, je m'exilai pour me concentrer.

— Pour vous chauffer la voix, chantez-moi le début de *Profitez du printemps*, me demanda John Abell.

Il me donna la tonalité et je commençai, m'efforçant de respirer calmement :

Profitez du printemps,
De vos beaux ans,
Aimable jeunesse !
Profitez du printemps de vos beaux ans,
Donnez-vous à la tendresse !

— Parfait, me félicita-t-il.
Je fis la moue. Je n'avais jamais été aussi mal de ma vie, bien plus mal que lorsque j'étais montée sur une scène pour la première fois à Saint-Cyr.

La bande de violons du Roi ouvrit la fête.
M. Couperin[1] joua un air de sa composition et sa nièce chanta d'une voix magnifique et fort émouvante. Le Roi d'Angleterre, la Reine et le petit prince semblèrent apprécier cette musique bien française car ils applaudirent sans retenue. Cachée derrière un rideau de feuillage, j'observai l'assistance. Le Roi, mon père, Mme de Maintenon, le Grand Dauphin, le duc de Bourgogne, le duc du Maine, ainsi que les princesses prenaient eux aussi plaisir à ce concert.

1. François Couperin, compositeur français (1668-1733).

Soudain, à quelques pas du duc du Maine, j'aperçus le chevalier de Prez. Mon sang monta d'une traite à mon visage. À ce moment-là, John Abell me fit signe de le suivre et je n'eus pas le temps de me poser de questions sur l'attitude à adopter. Les violons commençaient à jouer et je dus interpréter ma partie.

Comme on me l'avait déjà recommandé lors de la représentation d'*Esther*, je plaçai mon regard loin au-dessus de l'assistance et, en une fraction de seconde, j'oubliai tout pour me laisser baigner par la musique et projeter ma voix aussi loin et aussi haut que je le pouvais. Je me devais de mettre tout mon cœur dans mon interprétation pour célébrer le jeune prince et pour satisfaire mon père.

Lorsque ma voix se tut, sur une des plus hautes notes que mon organe pouvait produire, j'eus l'impression d'être sur un nuage. J'en redescendis doucement sous les applaudissements et, alors que je saluais, le petit prince grimpa sur l'estrade et vint m'embrasser. Ce n'était pas protocolaire, mais, après les injustes accusations dont j'avais été victime, c'était comme une absolution devant tout le monde et je lui fus très reconnaissante pour ce geste enfantin. Comme lavée de toute infamie, j'osai tourner mon regard vers le Roi. Il applaudissait en souriant légèrement.

John Abell me remercia pour ma prestation. François Couperin me félicita et m'annonça que Sa Majesté la Reine Marie avait souhaité qu'il s'installât quelque temps à Saint-Germain et qu'il allait composer un morceau spécialement pour moi. Sa nièce Marguerite plaisanta :

— Ah, ma chère, si François vous écrit une musique c'est que votre voix l'a séduit... et peut-être même plus que votre voix.

Je rougis. Se pouvait-il que M. Couperin éprouvât pour moi de l'attirance ? Il ne devait pas avoir plus de vingt ans et il était assez joli garçon.

— Voyons, Marguerite, gronda-t-il, tu vas effrayer cette demoiselle.

Voilà bien une phrase inutile et qui ne me renseignait en rien sur ses sentiments à mon égard. Pour l'heure, cela m'importait peu. J'espérais de toute mon âme que mon père vînt à son tour me dire un mot d'encouragement. Chaque bruissement de feuillage me faisait tressaillir.

Tout à coup, Bertrand de Prez fut devant moi !

Ce n'était point lui que j'attendais et une moue de mépris se dessina sur mes lèvres.

Sans doute pour donner le change, il fit comme s'il ne me connaissait pas et me dit simplement :

— Mademoiselle, votre voix est admirable.

Mon cœur se mit alors bêtement à battre la chamade. Je me forçai à répondre aussi sereinement que possible :

— Merci, monsieur.

J'allais emboîter le pas de John, Marguerite et François Couperin, afin de planter là l'importun, lorsque Élise surgit à son tour et, me sautant au cou, s'extasia :

— C'était si beau que les larmes me sont montées aux yeux.

— Je suis de votre avis, Mlle de Maisonblanche a beaucoup de talent.

Reconnaissant le chevalier, Élise l'apostropha vertement :

— Vous avez, monsieur, bien du toupet d'oser vous présenter devant mon amie après l'avoir abandonnée en si cruelle position.

Cette discussion pouvait être surprise à tout moment par quiconque passait à proximité, ce que je souhaitais éviter à tout prix. J'en voulus à Élise de son intervention. Sans elle, j'aurais suivi les musiciens en évitant soigneusement la compagnie du chevalier. Lui-même semblait très ennuyé et jetait des regards inquiets alentour.

— Je vous en prie, dis-je à Élise, allons-nous-en !

— Pas avant que monsieur ne se soit expliqué sur sa conduite.

— C'est ce que je venais faire en vous suppliant de me pardonner.

— Parlez d'abord ! Le pardon ne vous sera pas accordé si facilement !

Élise s'exprimait à ma place et c'était affreusement mortifiant. Je n'avais pas la moindre envie de pardonner à ce goujat, au contraire, je n'avais qu'une hâte : ne plus le voir.

— Je comprends que vous ayez une piètre opinion de moi. Je me suis conduit comme... comme un scélérat. Mais j'ai eu peur, je l'avoue. La vue des gardes m'a fait tourner les sangs.

— Ah, vous le reconnaissez ! riposta Élise.

Pétrifiée, je la laissais mener la conversation.

— Oui. Il faut vous dire que, pendant la Fronde, ma famille avait choisi le parti des Condi et comploté contre le Roi. Mon père y a perdu la vie et je ne dois mon retour en grâce qu'à la bonté de Sa Majesté, mais au moindre faux pas, je suis perdu. Être arrêté par les gardes du Roi d'Angleterre pouvait me coûter ma place à la Cour, voire même la vie.

— Ainsi donc, vous ne seriez qu'un lâche ! s'insurgea Élise.

— Le mot est cruel. C'est le bruit des bottes et des mousquets qui a réveillé en moi un vieux réflexe de fuite. Ce n'est point honorable, j'en conviens... J'avais pourtant pris beaucoup de risques pour enquêter sur la mère de Mlle de Maisonblanche et...

Je coupai brusquement court à ses explications. Il abordait le sujet qui me préoccupait et le reste m'indifférait.

— Et qu'avez-vous appris ?

— Votre mère est donc Mlle Desœillets, dame d'honneur de Mme de Montespan.

Il me l'avait déjà dit dans la grotte et je m'impatientai :

— Cela je le sais... mais quel est donc son crime ?

— Ah, mademoiselle, il est bien terrible... et je ne sais si...

— Au fait, monsieur, ne me ménagez point.

— Avez-vous entendu parler de... la Voisin, l'empoisonneuse ?

— Celle qui a été brûlée en place de Grève, il y a une dizaine d'années ? intervint Élise.

— Oui. C'était une sorcière qui se livrait à des messes noires et avait fourni des drogues pour empoisonner des grands de la Cour et sans doute même le Roi et le Dauphin.

J'étais incapable de formuler à haute voix les questions qui se pressaient à mes lèvres. Élise le fit pour moi :

— Et que vient faire la mère de mon amie dans cette sombre histoire ?

— Mlle Desœillets a été accusée d'avoir acheté des drogues à cette dame Voisin et de s'en être servie pour empoisonner une des favorites du Roi, Mlle de Fontanges. Elle est enfermée à la prison de Vincennes.

Je poussai un cri et je tombai en pâmoison.

15

C'est allongée sur la pelouse, la tête posée sur le justaucorps du chevalier que j'ouvris les yeux. Aussitôt, tout mon malheur me revint en mémoire et les larmes inondèrent mes joues.

Jamais je ne m'étais attendue à pareille révélation.

— Je m'en veux, mademoiselle, d'avoir été le messager d'une si mauvaise nouvelle, s'excusa le chevalier.

Un genou à terre, il me tenait la main. Je supposai qu'il avait dû me porter pour me mener derrière cet if centenaire qui me protégeait des regards indiscrets. Avoir été dans ses bras me fit rougir et, machinalement, je plaquai ma main gauche sur ma gorge, dénudée par un décolleté avantageux. De mes années à Saint-Cyr, j'avais gardé une pruderie dont Élise se moquait souvent. Je me mis promptement debout après avoir repoussé l'aide du chevalier.

Pour me laisser le temps de faire bonne figure, j'époussetai ma jupe avec application.

Je me demandai si, finalement, je n'aurais pas dû suivre les conseils de Mme de Maintenon et ne pas chercher à découvrir qui était ma mère. Car enfin, avoir une mère criminelle était bien la pire des situations !

Devant mon désarroi, Élise attaqua le chevalier :

— Ah, monsieur, il me semble que vous auriez pu vous dispenser d'annoncer une si affreuse nouvelle.

— Mais c'est vous qui avez exigé que je parle ! s'offusqua le jeune homme.

— Si vous aviez eu du cœur, vous ne nous auriez point obéi. Il eût été préférable que Louise ignorât ses origines et continuât à rêver à une mère idéale !

Le visage du chevalier se décomposa. Il me fit de la peine et je pris sa défense.

— Monsieur a eu raison de tout me dire. Il aurait été ridicule de m'entretenir dans le mensonge et la rêverie.

— Ah oui ? vous voilà bien avancée d'avoir une mère empoisonneuse ! Cela va vous gâcher la vie... et si par malheur la nouvelle s'ébruite... vous perdrez votre charge à la Cour d'Angleterre et aucun parti ne voudra jamais de vous !

Je frissonnai. Élise avait raison. Mme de Maintenon avait tout simplement voulu me protéger en refusant de me révéler la vérité. Je m'étais entêtée. Le résultat était effroyable. Mes pleurs redoublèrent.

Le chevalier s'empara de ma main droite et me dit alors :

— Que vous souffriez de connaître la mauvaise conduite de votre mère m'est déjà insupportable, mais je veux vous délivrer de vos autres tourments.

Je levai sur lui un regard étonné quand, tout à coup, il posa un genou à terre et me déclara sa flamme :

— Mademoiselle, je vous aime, voulez-vous m'épouser ?

Une bouffée de chaleur m'empourpra le visage. Sentant un vertige me menacer, je portai une main à mon front.

— Ah, monsieur ! gronda une nouvelle fois Élise, souhaitez-vous encore la faire tomber en faiblesse ?

Je ne tombai point. Par un phénomène étrange, le ciel qui m'avait semblé si sombre la minute précédente me parut soudain éclatant de lumière et la vie me sembla plus agréable. Certes, mon cœur n'en finissait pas de tambouriner de façon désordonnée dans ma poitrine et mes jambes avaient de la peine à me soutenir... mais ce n'était point douloureux, au contraire.

Je dévisageai Élise pour m'assurer d'avoir bien entendu. Son sourire béat me le confirma. Il fallait que je parle, mais j'étais si peu préparée à cette situation que les mots me manquaient. Que devait-on répondre en pareille occasion ? Je n'en avais pas la moindre idée.

Ce dont j'étais certaine, par contre, c'est que j'étais amoureuse du chevalier depuis l'instant où je l'avais aperçu. Je m'étais refusée à l'admettre, pensant qu'il était inutile que je rêve à cet amour impossible... et brusquement mon rêve devenait réalité.

Pourtant, avais-je droit au bonheur alors que ma mère était en prison ?

— Je vous remercie, monsieur, lui dis-je, mais cette union n'est pas envisageable.

Je vis les yeux d'Élise s'arrondir de stupéfaction et le visage du chevalier se crisper.

— Vous ne m'aimez point ? se lamenta-t-il.

Je ne pouvais lui avouer mes sentiments si crûment. J'avais besoin de m'habituer à eux, à lui et à ce frémissement de mon corps. J'éludai la réponse :

— Là n'est pas la question. Je dois d'abord penser à ma mère. Elle a certainement besoin de moi et nos sentiments attendront.

— Ah, Louise ! Je ne vous comprends pas ! s'offusqua mon amie.

— Parce que vous avez votre mère à vos côtés... la mienne m'a tellement manqué !

— Moi je vous comprends, mademoiselle. Une mère est un bien précieux et je vous offre mes services pour vous aider à revoir la vôtre !

Décidément, ce chevalier était un homme de mérite.

— Vous ne pouviez plus à propos me prouver vos sentiments ! m'exclamai-je avec gratitude.

— Ne nous avez-vous pas dit que vous deviez être discret et ne pas indisposer le Roi au risque d'être embastillé ? s'étonna Élise.

— Parfaitement. Mais pour un sourire de Mlle de Maisonblanche, je suis prêt à tout, même à mourir !

— Oh, non, monsieur, lâchai-je.

C'était sans doute la réaction qu'il attendait, car il s'inclina devant moi en murmurant :

— N'ayez crainte, depuis que je vous ai rencontrée, je n'ai point l'intention de mourir.

Une force nouvelle m'habitait. Épaulée par le chevalier, je sentis mon courage décupler.

— Nous savons maintenant où elle est, dis-je. Il me suffit de me rendre à Vincennes !

— Hélas ! ce ne sera pas aussi simple. Il vous faudra un laissez-passer signé de M. de La Reynie, lieutenant de police. C'est lui qui a dirigé la « Chambre ardente » chargée de juger les devins et sorcières mêlés à l'affaire des poisons. Et on prétend qu'il est intraitable avec les coupables, dont beaucoup ont péri sur l'échafaud.

Soudain, je répliquai :

— Et qui vous fait croire que ma mère est coupable ?

— Mais... elle a été jugée et condamnée..., bredouilla M. de Prez.

— Si elle est coupable pourquoi n'a-t-elle pas été conduite au supplice comme les autres ?

— Peut-être le Roi est-il intervenu en sa faveur ?

— Alors qu'elle aurait empoisonné une de ses maîtresses ? Ce n'est guère crédible. Il me semble, moi, que s'il y avait eu des preuves de cet acte odieux, ma mère n'aurait bénéficié d'aucune grâce.

— Vous pensez donc qu'elle est innocente ? s'étonna Élise.

— Je le pense en effet. D'ailleurs, si l'on veut réfléchir un peu plus loin, on peut se dire que le Roi aurait tout aussi bien pu m'oublier dans ma campagne au lieu de me faire entrer à Saint-Cyr. S'il l'a fait, n'est-ce pas pour racheter une injustice ?

— Chère Louise, se désola mon amie en posant une main compatissante sur mon épaule, je crains que le bonheur d'avoir retrouvé votre mère vous égare. La vérité est certainement moins belle.

Elle n'avait pas tort. Mais l'amour me donnait des ailes et j'avais envie de croire à l'histoire que je venais d'inventer.

— De toute façon, à présent que je sais où elle est, il m'est impossible de demeurer les bras croisés sans chercher à la rencontrer.

— Vous pouvez compter sur mon appui, déclara le chevalier.

— Merci, monsieur, je n'en attendais pas moins de vous, ajoutai-je en lui souriant.

Élise poussa un soupir de découragement.

— J'ai bien peur, ma chère amie, que vous ne vous lanciez dans une aventure qui ne vous apportera que des désagréments.

Je haussai les épaules. Je me sentais prête à tout affronter.

Mais j'ignorais ce qui m'attendait.

16

Je ne vécus plus que pour l'instant où j'allais revoir ma mère. Je devrais plutôt dire « voir », car l'image de son visage s'était effacée de ma mémoire.

J'aurais voulu courir à Vincennes immédiatement. Il me fallut pourtant patienter.

La Reine Marie attendait d'un jour à l'autre la délivrance. Son humeur s'en ressentait. Elle exigeait la présence constante de ses dames d'honneur auprès d'elle et de moi en particulier.

Les seuls moments de répit qu'elle m'accordait étaient ceux qui me permettaient d'apprendre la sonate pour violon composée par M. Purcell en l'honneur du nouveau prince ou de la nouvelle princesse qui devait naître et que j'aurais à jouer pendant l'accouchement.

La Reine était persuadée que la musique l'aiderait à supporter la souffrance. Je n'avais pas le droit de la décevoir et je m'appliquais sur ce difficile instrument délaissé trop souvent au profit du chant.

La Reine entra dans les douleurs de l'enfantement dans la nuit du 28 juin 1692. Dans la pièce contiguë à la chambre, les deux autres musiciens et moi jouions depuis trois heures lorsqu'une adorable petite fille vint au monde. Nous attaquâmes un morceau plein d'allégresse tandis que les membres de la Cour félicitaient la Reine. La petite princesse fut prénommée Louise Marie Thérèse. Ce que j'avais vécu était si intense que pendant quelques instants j'en avais oublié mes propres soucis.

Ils revinrent en force dès le lendemain. Lorsque je pénétrai dans la chambre de la Reine encore affaiblie, elle fut déconcertée par ma tristesse :

— Eh bien, Louise, ne vous réjouissez-vous pas avec nous ?

— Oh si, Votre Majesté. Je suis très heureuse et je présente encore à Votre Majesté tous mes vœux de bonheur pour la princesse.

— Je suis certaine que la musique l'aura charmée et qu'elle appréciera les arts.

— J'y ai mis tout mon cœur.

— Je vous en remercie... mais pourquoi diantre cet air chagrin ? Auriez-vous entendu parler d'un mauvais présage ? Vous aurait-on appris que les astres n'étaient pas favorables à l'instant de la naissance ?

Mme de Monicelli, qui ne quittait pas la Reine, s'offusqua :

— Oh, votre Altesse, n'écoutez pas Mlle de Maisonblanche ! J'ai personnellement interrogé une voyante qui m'a assuré que la princesse était née sous les meilleurs auspices et...

La Reine lui coupa la parole d'un geste de la main et je répondis en foudroyant la Monicelli du regard :

— Je ne crois pas à ces pratiques... de sorcellerie.

— Ce n'est pas de la sorcellerie, s'indigna la dame d'honneur. De tout temps les voyants ont été consultés lors des naissances royales et...

Encore une fois, Marie de Modène arrêta son bavardage pour me demander :

— Alors, m'a-t-on rapidement enlevé l'enfant parce qu'elle était mal proportionnée ? Avait-elle les membres noirs ou velus ?

— Ne vous alarmez pas, Madame, Louise Marie est une merveille, reprit la dame d'honneur.

— Eh bien, Louise, il serait bon que vous montriez votre satisfaction.

La phrase de la Reine claqua sèchement. Je l'avais fâchée et je m'en voulais, et la Monicelli s'était arrangée pour mettre de l'huile sur le feu. Je la détestai. Après un silence qui me parut interminable, la Reine lança :

— Vous pensez à votre mère !

Le rouge qui me monta aux joues fut un aveu.

— Avez-vous enfin eu de ses nouvelles ? poursuivit-elle.

J'hésitai quelques secondes, mais me résolus à dire la vérité.

— Elle est emprisonnée à Vincennes...

— Quelle horreur ! s'écria la première dame d'honneur d'un ton dégoûté.

— Allons, gronda la Reine le sourcil froncé, il y a mille et une raisons de séjourner en prison. Parfois, il suffit d'un mot de trop, d'une maladresse ou d'une dette de jeu.

D'après les informations du chevalier, le cas de ma mère était plus grave, mais je ne l'avouai pas. Je craignais trop les sarcasmes de la Monicelli et je n'avais pas envie que tout le palais soit au courant de mon malheur.

Sans nul besoin de l'en prier, Marie de Modène me proposa :

— Je suppose, Louise, qu'il vous serait agréable de lui rendre visite ?

— Oh, Votre Majesté, rien ne pourrait me faire plus de plaisir ! m'exclamai-je en tombant à genoux dans la ruelle[1] de son lit.

— Mme de Monicelli, voulez-vous aller me quérir un petit verre de liqueur de framboises, ordonna soudain la Reine.

— Votre Majesté se sent mal ? s'inquiéta la première dame d'honneur.

— Non point. J'ai simplement envie de cette douceur.

Mme de Monicelli ne fut pas dupe de ce mensonge destiné à l'éloigner.

En effet, dès qu'elle eut franchi le seuil de la porte, la Reine m'annonça :

— Je vais intervenir auprès de M. de La Reynie, qui ne me refusera pas cette faveur.

Je lui saisis la main et la baisai chaleureusement. Elle me caressa les cheveux et murmura :

— Votre mère a bien de la chance.

— Et moi, j'en ai aussi beaucoup de vous avoir comme protectrice, lui répondis-je émue.

1. Espace libre entre le lit et le mur.

17

Une semaine plus tard, la Reine fit préparer une voiture et me donna une escorte. Élise m'accompagna, non seulement il n'était pas convenable que je sorte seule, mais c'est sur elle que reposait tout le succès de l'aventure.

Elle tenait à la main le sauf-conduit qui nous permettrait d'entrer à la prison de Vincennes.

La Reine avait imaginé un subterfuge afin que ni le Roi ni M. de La Reynie ne se doutent de la véritable identité de la personne demandant à s'entretenir avec Mlle Desœillets. Le sauf-conduit avait été établi au nom d'Élise de Langeron. Mon nom n'apparaissait nulle part. J'étais juste celle qui accompagnait Élise. Le chef de la police s'était, paraît-il, montré très récalcitrant à signer le papier. Il avait fini par céder puisque c'était la Reine d'Angleterre qui réclamait ce service.

Dans la voiture qui cahotait en direction de Vincennes, j'étais dans un état second. Je bouillais d'impatience à l'idée de rencontrer ma mère et j'étouffais d'angoisse à la pensée que peut-être, au dernier moment, un événement imprévu empêcherait cette rencontre. Je craignais aussi (et c'était le pire des maux) qu'elle ne veuille point me voir. Elle m'avait peut-être tout simplement rayée de sa vie et ne souhaitait pas savoir ce que j'étais devenue.

Nous étions parties de Saint-Germain au petit matin mais, lors de la traversée de Paris, nous eûmes à subir les embarras de la circulation dans les rues étroites et malodorantes encombrées par les portefaix, les porteurs d'eau, les charrettes des marchands venus vendre leurs denrées.

Lorsque le donjon de Vincennes se découpa derrière les arbres, mon cœur s'emballa et je serrai le bras d'Élise :

— Ne vous inquiétez pas, m'assura-t-elle, tout ira bien.

Elle joua son rôle à la perfection. Avec un sourire enjôleur, elle tendit son laissez-passer au portier, pénétra avec assurance dans la place, moi, tremblante, sur ses talons. On nous conduisit à travers un dédale de couloirs jusqu'à une petite pièce sale et sombre où on nous fit patienter. J'avais la gorge sèche et les jambes flageolantes. Enfin, celui que nous supposâmes être le gouverneur de la prison nous interrogea, méfiant :

— Vous voulez voir la dame Desœillets ?

— Oui, c'est cela, minauda Élise.

— C'est la première fois qu'elle a de la visite. Vous êtes de sa famille ?

— Des... cousines éloignées... Nous avons fait dire des messes pour que le Seigneur lui pardonne ses fautes... mais les messes coûtent cher et nous n'avons plus d'argent.

— Eh bien, il serait étonnant qu'elle puisse vous dédommager. Elle n'a pas un sou et beaucoup de mal à payer sa nourriture et son entretien.

— Pouvons-nous la voir quand même ? insista Élise.

— Si vous y tenez...

Nous reprîmes des couloirs, montâmes des escaliers, puis l'homme nous ouvrit une énorme porte et, dans une pièce éclairée seulement par une fenêtre étroite, je vis une femme maigre, debout, appuyée contre une table, le cheveu gris, vêtue d'une méchante jupe de toile beige et d'un bustier trop large. Elle ne ressemblait en rien à la belle et élégante femme de mon souvenir. Les soucis et la prison l'avaient fait vieillir avant l'âge.

Une voix dans le couloir appela le gouverneur.

— Je vous laisse, j'ai à faire, nous dit-il. Dans une heure, je reviens vous chercher.

La femme n'avait pas bougé, mais je lisais l'étonnement dans son regard. Lorsque la clef eut tourné bruyamment dans la serrure, elle nous demanda :

— Qui êtes-vous ?

Paralysée par l'émotion, j'étais incapable de parler. Comment lui annoncer tout à trac : « Je suis votre fille. »

Élise prit la parole à ma place :

— Je suis Élise de Langeron, dame d'honneur de la Reine d'Angleterre. J'ai beaucoup entendu parler de vous par quelqu'un qui vous aime profondément.

Ma mère eut une sorte de ricanement qui me glaça.

— Sottise ! lâcha-t-elle d'une voix éraillée. Je meurs dans l'indifférence, enfermée entre ses murs.

Cet aveu me fit l'effet d'un poignard dans le cœur et je murmurai :

— Oh, non, madame, je ne suis pas indifférente à votre sort... Je vous cherche depuis si longtemps !

Elle posa sur moi ses yeux bleus délavés par les pleurs. Elle sembla faire un effort considérable pour se plonger dans ses souvenirs et, soudain, elle hurla :

— Louise ! Louise, mon enfant ! Est-ce bien vous ?

Elle avait ouvert les bras, je m'y précipitai, mais les sanglots qui me submergèrent m'empêchèrent de lui répondre. Nous pleurâmes quelques minutes, enlacées. J'aurais voulu que ces minutes durent des heures tant ces larmes m'étaient douces. Elle me garda ainsi contre elle, puis soudain m'abreuva de questions :

— D'où venez-vous ? Vous n'avez rien d'une paysanne. Qui vous a donc élevée ?

Je lui expliquai que j'étais dame d'honneur de la Reine d'Angleterre et que Mme de Maintenon m'avait accueillie dans la Maison Royale de Saint-Louis.

— À Saint-Cyr, avec les demoiselles de la haute noblesse ? Oh, que cela m'est doux à entendre... J'avais si peur qu'on vous laissât croupir chez votre nourrice.

— Vous... vous n'avez eu aucune nouvelle de moi ? m'étonnai-je.

— Non. Lorsque l'affaire a éclaté, vous aviez à peine cinq ans, vous étiez à la campagne où je vous visitais régulièrement...

Je ne pus retenir mon cri :

— Alors, c'était bien vous... ma mère... la belle dame parfumée qui me prenait dans ses bras !

— Hélas ! voyez dans quel état je suis à présent, se lamenta-t-elle en me désignant sa tenue.

— Je vous ferai porter du linge et des robes et je veillerai à ce que vous soyez nourrie correctement.

— Ne vous méprenez pas sur mes paroles. Je n'ai besoin de rien... Il ne me manque que la liberté... mais ça...

Ne pouvant promettre de la lui donner, je changeai de conversation afin de ne pas attrister ce premier jour de nos retrouvailles.

— Vous savez donc où vit ma nourrice ?

— Oui. Elle habite Mamers, un village de Normandie. Vous souhaitez la revoir ?

— Elle, non. Mais Joseph... mon frère de lait. C'est lui qui m'a donné le goût du chant et si je peux faire quelque chose pour lui...

— Qui sait ce qu'il est devenu ? Moi aussi, après mon arrestation, je vous ai perdue de vue... J'ai pleuré, supplié pour connaître votre sort... On ne m'a pas écoutée. Pour tous, je suis la sorcière... celle qui mérite le bûcher. J'ai fini par me résigner.

Soudain, Élise prit la parole :

— Ah, madame, quelle infamie d'avoir ainsi voulu attenter à la vie d'une femme aimée du Roi !

Ma mère s'anima soudain. Elle devint rouge et s'emporta :

— Alors, vous aussi, vous me croyez coupable d'une telle atrocité !

— Mais... vous avez été jugée et condamnée ! bredouilla mon amie, impressionnée par la réaction de ma mère.

— Ah, oui, parlons-en de ce procès ! Personne pour me défendre ! Personne... J'étais seule. C'était ma parole contre celle de la marquise de Montespan...

Ma mère se laissa tomber sur une chaise comme si l'évocation de ce qu'elle avait vécu la terrassait à nouveau. Elle reprit d'une voix sourde.

— Je n'étais point noble. Ma mère était comédienne et cela fut un obstacle lorsque je voulus obtenir une charge à la cour. Mme de Montespan a été la seule à m'offrir cette charge de dame d'honneur et je lui en fus très reconnaissante. J'étais prête à tout pour lui être agréable. Lorsqu'elle commença à fréquenter cette dame Voisin qui prétendait pouvoir lui conserver l'amour du Roi, j'ai essayé de la dissuader de se livrer à pareille sorcellerie, mais elle n'en fit, comme toujours, qu'à sa tête. Au début, tout alla bien. Le Roi était très amoureux de Mme de Montespan et la couvrait d'honneurs, de bijoux, cédant à tous ses caprices... Et puis, Mlle de Fontanges est apparue et le Roi n'eut d'yeux que pour elle. Mme de Montespan en était folle de rage et de désespoir. Elle m'ordonna d'aller chez la Voisin quérir des poudres et des breuvages qu'elle faisait boire au Roi afin qu'il se détourne de la belle Angélique.

— Mais alors, murmurai-je, vous... vous êtes innocente ?

— En effet. Je n'ai agi que sur les ordres de Mme de Montespan. Je n'avais, pour ma part, aucun intérêt à faire périr Mlle de Fontanges, quant à l'amour du Roi...

Elle laissa sa phrase en suspens et me regarda. Ne sachant pas si j'étais au courant du secret de ma naissance, elle ne voulait sans doute pas me le révéler brutalement. Je l'encourageai donc à continuer :

— J'ai appris que le Roi était mon père.

— Ah ! c'était pourtant un secret bien gardé. J'avais juré de ne jamais le révéler et j'ai tenu ma promesse. Quelqu'un de moins scrupuleux m'a trahie et a trahi le Roi.

Comment lui poser la question qui me brûlait les lèvres ? J'avais besoin de savoir dans quelles circonstances j'avais été conçue. Le Roi avait-il abusé de ma mère ? Avait-elle intrigué pour partager sa couche ? L'avait-elle fait dans l'intention d'obtenir une faveur, un présent ?

Comme si elle avait lu en moi, ma mère poursuivit :

— Je n'ai jamais trompé personne. Jamais. Même Mme de Montespan. Je ne lui ai volé l'amour du Roi que pendant quelques heures... Un soir, elle a fait à Sa Majesté une véritable scène d'hystérie pour une histoire d'étiquette[1]. Elle voulait avoir les mêmes prérogatives que les princesses de sang puisqu'elle donnait au Roi des enfants qui étaient légitimés. Le Roi, comme à son habitude, resta calme, mais quitta la chambre de la marquise fort contrarié. Je l'étais aussi. J'avais une immense admiration pour le Roi et je ne comprenais pas que l'on puisse ainsi le tourmenter. Le soir même, M. Bontemps, son premier valet de chambre, vint me chercher et me conduisit auprès de Sa Majesté. « Madame, me dit le Roi, j'ai besoin de douceur et de tendresse et il me semble que ce sont des qualités que vous avez. » Comme beaucoup de jeunes filles vivant à la Cour, j'étais secrètement amoureuse du Roi et lui donner une preuve de cet amour fut une joie.

Je soupirai d'aise et cela n'échappa pas à ma mère qui enchaîna :

— Je cachai ma grossesse tant que je le pus. Mme de Montespan eut la mansuétude de ne point me chasser tout en se doutant que le Roi n'était pas étranger à mon état. Et le Roi eut la bonté de me faire parvenir une bourse bien garnie pour la nourrice.

1. Cérémonial, ensemble des règles à respecter à la Cour.

— Malgré la bonté de tous ces gens, persifla Élise, c'est vous qui êtes en prison.

— Il est vrai. Mais si le Roi avait laissé accuser sa maîtresse, il devenait la risée de toute l'Europe : le Roi de France abusé par une sorcière dont il aurait eu des enfants qu'il avait légitimés. Des enfants du diable ! C'était impensable.

— C'est donc vous qui payez !

— Hélas... Pourtant je reste persuadée que si je n'ai pas fini sur l'échafaud comme d'autres, c'est parce que le Roi est intervenu en ma faveur... et cette pensée m'aide à vivre. Il sait que je suis innocente.

— Alors, il doit vous faire sortir de cette infâme prison ! m'exclamai-je, indignée.

— Ah, mon enfant, il est trop tard. Je n'existe plus. On m'a oubliée. Qui se soucie de mon sort aujourd'hui ?

— Moi ! Et je vous jure bien que je vais faire l'impossible pour vous rendre la liberté à laquelle vous avez droit !

Les yeux de ma mère se remplirent une nouvelle fois de larmes. Elle me serra contre elle. À ce moment-là, la porte s'ouvrit et le gouverneur nous annonça :

— La visite est terminée !

Nous nous séparâmes à regret sur un baiser. C'était le premier que ma mère me donnait, j'espérais de tout mon cœur qu'il ne serait pas le dernier.

18

Dans le carrosse qui nous ramenait à Saint-Germain, j'étais partagée entre deux sentiments : le bonheur d'avoir enfin retrouvé ma mère et la tristesse de la savoir en prison pour un délit qu'elle n'avait point commis. Tantôt je souriais, tantôt je serrais les poings pour contenir ma colère.

Élise me conseilla :

— Calmez-vous, Louise, gardez vos forces pour réfléchir au moyen de sortir votre mère de cette prison.

— Comment faire ? Il faudrait que je parle au Roi... Jamais je n'oserai...

De retour au Château Vieux, je me rendis dans le petit salon bleu où la Reine prenait le thé avec ses dames. Dès qu'elle m'aperçut, elle me questionna gentiment :

— Eh bien, chère Louise, quelles sont les nouvelles ?

Je répondis évasivement :

— Bonnes, Votre Majesté.

Je ne souhaitais pas que les dames d'honneur soient au courant de mes problèmes. Certaines, jalouses de la sollicitude de la Reine à mon égard, n'attendaient qu'un faux pas pour me discréditer auprès d'elle. La Monicelli, entre autres, avait cru m'éloigner définitivement de la Cour en me traitant d'espionne. Elle n'avait pas réussi... mais si elle apprenait que ma mère avait trempé dans l'affaire des poisons, elle en profiterait pour répandre à mon sujet toutes sortes de rumeurs.

La Reine me dévisagea avec curiosité. Ma vie mouvementée la changeait de la monotonie de la sienne et lui faisait oublier un peu sa détresse à la suite de la catastrophique bataille de La Hougue[1]. Selon les règles de l'étiquette, elle ne s'occupait pas de la petite princesse, confiée à une nourrice, et les journées étaient parfois longues.

---

1. La bataille de La Hougue, en juin 1692, mit fin au projet de débarquement de Jacques II sur la côte de Portland.

Elle ordonna aux trois dames présentes de quitter la pièce sous divers prétextes et dès qu'elles se furent retirées, elle posa sa tasse de thé sur un guéridon et me demanda d'une voix impatiente :

— Racontez-moi tout.

Je ne me fis pas prier. Cela me faisait du bien de me confier à cette femme qui avait toujours été bonne pour moi.

Lorsque j'eus terminé mon récit, elle me dit :

— L'affaire est délicate... Votre mère sert de bouc émissaire, c'est évident... Mais le faire admettre au Roi de France est totalement impossible.

Je partageais son avis et des larmes d'impuissance et de colère me montèrent aux yeux, je bredouillai :

— Oh, Madame, savoir ma mère dans cette prison depuis de si longues années alors qu'elle n'a fait qu'obéir aux ordres... je... je ne le supporte pas.

— Ma pauvre enfant.

Soudain, je m'enflammai :

— Je vais aller à Versailles où je crierai partout qu'une innocente croupit en prison à la place de Mme de Montespan et le Roi sera si honteux qu'il fera libérer ma mère !

— Grand Dieu ! s'exclama la Reine, quelle idée saugrenue ! Le Roi ne vous pardonnerait pas de l'humilier publiquement.

— Que faire, alors ? me lamentai-je.

La Reine garda un instant le silence, puis m'annonça :

— Le 23 août, Louise Marie sera baptisée en la chapelle de Saint-Germain. Le Roi de France a accepté d'être son parrain. Vous aurez donc l'occasion de le voir, de chanter devant lui et peut-être de lui parler. Réfléchissez bien à ce que vous lui direz. Vous ne devez ni le vexer, ni mettre en doute sa loyauté... Usez de votre fraîcheur, de vos talents de cantatrice, et dites-lui le grand honneur que vous avez à l'avoir pour père... Louis a toujours aimé les enfants. Je suis certaine que vous emploierez les mots justes.

Je quittai la Reine un peu rassérénée, quoique la perspective de rencontrer le Roi m'effrayât. J'avais fanfaronné en promettant de révéler à tout le monde la forfaiture dont ma mère était victime, mais parler à tout le monde revenait à parler à personne... Alors que m'adresser au Roi me terrifiait... et cela pour plusieurs raisons.

La moins avouable était très égoïste. Je ne voulais pas risquer de perdre les miettes d'intérêt qu'il avait la bonté de m'accorder. Ces marques d'attention réchauffaient mon cœur en manque de tendresse.

Les autres raisons étaient protocolaires. J'ignorais comment il convient de s'adresser au Roi de

France. J'avais peur de ne pouvoir aligner trois mots sans bafouiller.

Je n'eus pas vraiment le temps de réfléchir à tout cela.

M. Charpentier avait composé deux magnifiques pièces de musique : un motet à la gloire de Dieu et un compliment en l'honneur de la princesse, de ses parents et de son royal parrain.

La Reine avait dû insister pour que je chante dans le chœur, car les filles n'étaient pas admises dans les offices religieux. On contourna donc le règlement en décidant que le motet serait chanté juste avant la messe et le compliment, juste après. Les chants de la cérémonie, composés par Innocenzo Fede, maître de chapelle du Roi d'Angleterre, étant interprétés, comme à l'accoutumée, par la Musique de la Chapelle. C'était une habile façon de satisfaire à la fois la famille d'Angleterre et le Roi de France.

19

Le matin du 23 août, j'étais si fébrile et anxieuse que, si je l'avais pu, j'aurais reculé la date de la cérémonie. Je jugeais que ma voix n'avait pas encore atteint le degré de perfection propre à émouvoir le Roi. J'étais comme étrangère à la joie qui s'était emparée du château et Élise s'en étonna :

— Eh quoi, une fête pareille ne peut pas vous laisser indifférente !

— Oui, je devrais me réjouir... et je n'y parviens pas parce qu'un seul souci m'agite : comment aborder le Roi et que vais-je lui dire pour obtenir la libération de ma mère sans le blesser ?

— Certes, la chose est délicate, mais si vous êtes trop nerveuse, vous risquez une fausse note, ou

pire, de vous casser la voix, ce qui indisposera Sa
Majesté. Et alors...

Je soupirai.

Lorsque les premiers carrosses franchirent la
grille du parc, j'étais plus morte que vive... mais je
n'en guettais qu'un, celui aux armoiries royales. Je
ne le vis pas s'arrêter dans la cour. M. Abell m'avait
fait appeler pour une ultime répétition. Il me
gronda, parce que ma voix fléchissait dans certains
passages. Il s'énerva parce que je manquais de
souffle et finit en levant les bras au ciel :

— Eh bien, chantez ainsi dans quelques heures
et vous ne serez plus jamais acceptée dans aucun
chœur, je vous le garantis !

Honteuse, je baissai la tête. Puis, brusquement,
je me redressai, comme si une aiguille m'avait
piquée. Je tenais mon avenir et celui de ma mère
entre les mains, ce n'était pas le moment de flan-
cher et j'assurai à mon maître de chant :

— N'ayez crainte, monsieur, vous n'aurez pas à
vous plaindre de moi, je saurai tenir ma place.

J'espérais que Bertrand serait là pour me soutenir. J'avais un peu honte de reconnaître qu'en peu
de temps sa présence m'était devenue indispen-
sable. Ma situation me rappela celle de mon amie
Hortense qui, quelques jours après avoir aperçu

Simon, était déjà torturée par son absence[1]. Ma pensée s'envola un bref instant vers Saint-Cyr. Qu'étaient devenues Hortense et Isabeau ? Aurais-je le plaisir de les revoir un jour ? Je le souhaitais de tout mon cœur, mais pour l'heure j'avais d'autres soucis.

Le parc du château grouillait de monde et la chapelle fut trop petite pour accueillir tous les nobles anglais et français invités à la cérémonie.

Puisque nous ne faisions pas partie de la Musique de la Chapelle, il avait été convenu, après moultes discussions animées avec Lord Caryll, responsable de la vie musicale à la Cour, que notre chœur s'installerait dans une loge afin d'être entendu sans être vraiment à la vue de tous.

En y entrant, je m'étais assurée de la présence du Roi. Il était là avec le Dauphin et Mme de Maintenon, confortablement assis devant l'autel à côté de la famille royale d'Angleterre. Les battements de mon cœur s'accélérèrent. Mais quand les premières notes des violons retentirent et que ma voix s'éleva, mon anxiété disparut comme par enchantement. Je ne pensais plus qu'à chanter la gloire de Dieu, à remercier les cieux pour la grâce et la beauté de la petite princesse et à encenser ses parents et son parrain.

1. Voir le tome 1, *Les Comédiennes de monsieur Racine*.

La cérémonie terminée, le demi-sourire du maître de chant me prouva qu'il était satisfait. J'étais, quant à moi, soulagée de m'être acquittée correctement de ma tâche.

Celle qui m'attendait à présent était autrement plus délicate. Je ne savais toujours pas comment aborder le Roi, ni comment lui parler, ni ce que je devrais lui dire, et l'angoisse m'assaillit à nouveau. Elle fut à son comble lorsque la famille royale d'Angleterre et le Roi s'approchèrent de notre groupe et nous félicitèrent.

La Reine me prit par le bras pour me placer à son côté. C'était une façon de montrer qu'elle m'accordait son estime et cela me toucha.

— Je crois, mon cousin, que vous connaissez Louise, dit-elle. Non seulement elle a une voix exceptionnelle, mais elle a de grandes qualités de cœur... et une noblesse de l'âme que beaucoup de demoiselles pourraient lui envier.

Le Roi me fixa avec bonhomie. Je crus fondre de bonheur.

La Reine ajouta sournoisement :

— Elle a de qui tenir, n'est-ce pas ?

Le visage du Roi se figea.

— La vie n'a pas été toujours clémente avec elle, poursuivit la Reine et je lui souhaite un avenir heureux.

— Nous connaissons les mérites de Mlle de Maisonblanche et nous nous associons à votre souhait, répondit le Roi.

Le moment était opportun pour que je lui parle. La Reine Marie m'y encourageait du regard, mais aucun son ne réussit à franchir mes lèvres et le Roi s'éloigna.

Déçue et furieuse contre moi, je m'élançai dans la direction opposée pour cacher ma peine. Là, je me heurtai au duc du Maine accompagné du chevalier.

— Oh là ! me dit-il en voyant ma mine défaite, que vous arrive-t-il ?

Je bredouillai je ne sais plus quel mensonge.

Pour me laisser le temps de me reprendre, le duc me complimenta sur ma voix en m'assurant que je l'avais ému aux larmes, puis il enchaîna :

— Bertrand m'a parlé de vous... Il paraît que vous êtes ma demi-sœur...

Une chaleur incommodante me monta au visage :

— C'est-à-dire que...

— Ne soyez pas gênée... vous n'y êtes pour rien... Bertrand m'a conté votre histoire... Elle est à la fois bien triste et bien belle... Vous avez du talent et du courage... Mais il est injuste que vous vous débattiez seule parmi tous vos soucis. Moi qui ai eu la chance d'être légitimé par le Roi, notre père, il me vient à l'esprit que c'est mon devoir de vous aider.

— Oh... Monseigneur ! m'écriai-je, troublée.

Le duc du Maine prit ma main et la plaça dans la main du chevalier, après quoi, il déclara :

— Bertrand vous aime profondément et il a admirablement plaidé votre cause... Si votre amour répond au sien, je vous promets de tout faire pour faciliter votre union... Ce sera ma façon de réparer les torts qu'on vous a faits.

Un brouhaha nous informa que Leurs Majestés et la Cour se rendaient dans le parc, ce qui m'évita de répondre à la proposition du duc. J'en aurais été, d'ailleurs, bien incapable. Mes sentiments étaient si confus ! Pour l'instant, une seule chose m'importait : je devais parler de ma mère au Roi !

— Venez, me dit le duc, rejoignons la Cour, et dès que l'occasion se présentera, je parlerai au Roi.

Les deux souverains, les deux dauphins, la Reine Marie, Mme de Maintenon, les princes, les princesses se dirigèrent vers la grande terrasse qui s'étalait sur plus d'une lieue et surplombait la Seine. Louis, fatigué par la goutte[1] qui le faisait souffrir, ne fit que quelques pas sur le belvédère et encouragea la famille d'Angleterre et la Cour à prolonger leur promenade.

---

1. Maladie qui se manifeste par des douleurs articulaires (faisant souvent souffrir au niveau du gros orteil).

— Je vais me reposer dans la grotte du Dragon, annonça-t-il, cela me rappellera mon enfance.

Mme de Maintenon et le duc du Maine emboîtèrent le pas du souverain. Le chevalier et moi nous les suivîmes à une distance respectable.

— Quelle pitié que tout cela tombe en ruine ! se lamenta le Roi en s'asseyant sur la bordure de pierre de la fontaine.

— Il y a des choses plus tristes que cela, intervint son fils.

Le Roi fronça le sourcil, ce qui n'était pas de bon augure, mais le duc du Maine continua :

—J'ai fait, voici quelques jours, la connaissance d'une jeune personne qui a une requête à vous formuler...

Le Roi chassa d'un revers de la main cette fâcheuse intervention.

— Il ne s'agit ni d'une demande de charge ni d'une pension, la demoiselle dont je vous parle n'est que désintéressement et pureté.

Le Roi leva vers son fils un œil intrigué et bougonna :

— Au fait, au fait...

Le duc nous fit signe. Heureusement le chevalier me soutenait et je pus avancer vers le Roi, lui faire ma révérence, sans trébucher ni tomber en pâmoison. Lorsque Sa Majesté me vit, il lâcha d'un ton sec :

— Encore vous, Mlle de Maisonblanche ! Nous avons pourtant fait pour vous tout ce que nous devions. Vous avez été élevée à Saint-Cyr et vous occupez à présent une charge exceptionnelle dans la Musique de la Maison d'Angleterre. Le jour de vos vingt ans, vous serez dotée et pourrez vous marier ou entrer au couvent.

Sa voix me pourfendait. Mais j'avais assez tergiversé et il était temps que je prenne mon destin et celui de ma mère en main. Je me relevai et lui dis en essayant de mettre dans ma voix de la détermination et de la douceur :

— Sire, je vous remercie infiniment pour toutes vos bontés. Sans votre haute bienveillance, je ne serais rien. Et si je prends la liberté de vous importuner, ce n'est point à mon sujet... mais au sujet de ma mère.

— Votre mère ? répéta le Roi comme s'il avait oublié de qui il s'agissait.

— Oui. Mlle Desœillets, emprisonnée à Vincennes.

J'avais osé, enfin. Un silence glacial tomba dans la grotte.

— Co... comment osez-vous prononcer ce nom devant le Roi ! gronda Mme de Maintenon.

— Parce qu'il faut bien que quelqu'un le fasse ! coupa le duc du Maine. Père, on vous a trompé. Mlle Desœillets est seulement coupable d'avoir obéi aux ordres qu'on lui a donnés... Il n'est pas juste qu'elle croupisse en prison depuis si longtemps... Sa faute, si faute il y a, est celle d'avoir été trop naïve et trop attachée à sa maîtresse.

Cette dernière phrase fit mouche, car c'était exactement ce que le Roi avait été dans cette sordide affaire des poisons : trop naïf et trop attaché à sa maîtresse, Mme de Montespan.

Une ombre passa dans le regard du souverain... enfin, me sembla-t-il.

Mme de Maintenon posa une main sur son épaule comme pour le soutenir dans cette épreuve, mais peut-être aussi pour lui signifier que le pardon était l'apanage des grands et que seul Dieu était à même de juger nos fautes.

Le Roi se releva du rebord du bassin où il s'était assis et lâcha la phrase qui le débarrassait des gêneurs :

— Je verrai.

Je plongeai à nouveau dans une profonde révérence et lorsque le Roi passa devant moi, je murmurai :

— Sire, je vous en supplie...

Mais m'avait-il entendue ?

20

Depuis ce moment, j'espérais et je redoutais un message en provenance de Versailles. Parfois je rêvais que d'ici peu ma mère serait enfin libre, d'autres fois que le Roi, furieux, me ferait renvoyer de la Cour d'Angleterre pour m'enfermer dans un couvent.

Il y a quelques mois encore, le couvent ne m'eût pas affolée plus que cela, c'était un endroit de calme et de prières où j'aurais eu tout le loisir d'améliorer ma voix afin de chanter la gloire de Dieu... c'était avant ma rencontre avec Bertrand. Maintenant, la perspective de ne plus le voir, de ne plus l'entendre, de ne plus pouvoir m'appuyer à son bras m'était intolérable. Il me semblait que ma vie devait se poursuivre avec lui. C'était sans doute cela, l'amour. Pourtant, j'étais dans une telle détresse qu'il m'arrivait de douter de la sincérité de ses sentiments à mon égard. En vérité, je ne savais plus où j'en étais et mon caractère s'altérait. Je pleurais, je m'énervais, je criais, je restais muette... bref, je ne m'appartenais plus.

Élise me le fit remarquer un soir :

— Louise, reprenez-vous, vous devenez impossible !

Je promis de faire un effort, mais comment y parvenir ?

Je craignais que le « Je verrai » du Roi ne fût qu'une façon de s'affranchir des importuns. Il avait sans doute déjà oublié ma supplique... (tant de personnes lui faisaient parvenir des placets[1]) et pendant ce temps ma mère était toujours emprisonnée.

Les jours passaient et rien ne me permettait d'imaginer que le Roi s'était occupé de mon cas.

Je n'étais plus que l'ombre de moi-même, maudissant ma condition de femme qui me condamnait à attendre sans agir. Si j'avais été un homme, j'aurais enfourché un cheval, j'aurais bousculé la garde et j'aurais enlevé ma mère...

---

1. Lettre adressée à un roi, à un ministre, pour demander justice ou se faire accorder une faveur, une charge.

Je n'avais pas plutôt émis cette idée saugrenue qu'une autre s'imposa à moi. J'étais femme... et je devais user de la seule arme à ma disposition : le charme. On me disait jolie. Je chantais bien. C'était le moment d'en profiter. Aussitôt, j'échafaudai un plan... complètement fou... mais je ne pouvais plus demeurer passive.

François Couperin, dont la Reine Marie appréciait beaucoup la musique, avait été invité à séjourner à Saint-Germain. Il avait déjà composé plusieurs pièces de circonstance pour des fêtes, des anniversaires. Il n'avait que cinq ans de plus que moi et nous nous entendions bien. J'avais chanté quelques-unes de ses partitions et il appréciait ma voix. Peut-être même était-il amoureux de moi comme l'avançait sa cousine.

Je le rencontrai une après-dînée dans le parc, et, à l'abri d'un bosquet, je lui soumis mon projet. Il éclata de rire :

— Vous n'avez pas froid aux yeux !

— Il s'agit de sauver ma mère...

— L'entreprise est délicate. La Reine Marie a eu la grande bonté de remarquer mon talent, mais nous sommes nombreux à briguer des charges : Charpentier, Lalande, Marin Marais prendraient la mienne au moindre faux pas.

— Je sais tout cela... mais si vous me refusiez votre aide, je...

— Il n'en est pas question ! coupa le musicien... Au contraire. Composer une musique sur les paroles d'une supplique que vous allez écrire... et faire en sorte que le Roi ne devine pas qui est l'auteur de la musique... empruntant un peu du style de Charpentier, de Lalande et de Purcell... c'est un fabuleux défi, et cela me tente !

— Ah, merci ! Votre amitié m'est précieuse.

— Hélas ! je devrai donc me contenter d'amitié alors que mon cœur soupire pour vous.

Ainsi, François Couperin m'aimait. Il me coûta de lui faire de la peine en lui expliquant, à mots couverts, que j'étais promise à un autre.

— Je m'en doutais, une demoiselle comme vous doit avoir des prétendants bien nés. Je ne suis que musicien...

Pour couper court à une discussion dans laquelle nous risquions d'être mal à l'aise tous les deux, j'enchaînai :

— Je me mets dès cette nuit au travail afin d'écrire un poème dont je n'aie pas trop à rougir. Je n'ai encore jamais écrit de vers et je me demande même si j'en serai capable. Quand je pense à ceux de M. Racine, de M. Molière ou de M. La Fontaine, j'ai honte de m'essayer à cet art où ils excellent.

— Le but, ici, n'est pas d'atteindre la perfection du texte, et quelques maladresses dites avec tendresse et courage sont souvent plus promptes à toucher une âme sensible.

— Puissiez-vous dire vrai !

Je passai plusieurs nuits à écrire à la lueur de la chandelle. Élise, qui jugeait mon projet hasardeux me gronda. En fait, elle craignait de perdre sa seule amie si j'étais renvoyée. Mais si son affection me réchauffa le cœur, elle ne m'éloigna pas du but que je m'étais fixé.

En quatre nuits, j'avais écrit une supplique qui me parut acceptable. Élise me reconnut du talent et François Couperin à qui je la remis admit qu'il y avait du rythme et de la grâce dans mon écriture. Il semblait avoir surmonté la déception amoureuse que je lui avais causée et j'en étais fort contente.

Quelques jours plus tard, sous prétexte de me faire entendre une nouvelle musique pour un *Ave Maria* destiné à la fête du 15 août, il me fit venir dans l'appartement qu'il avait loué en face du château. Bien évidemment, Élise m'accompagnait. Il n'aurait pas été correct que j'entre seule chez un homme.

Là, il me joua au clavecin l'air en *la* mineur qu'il avait composé sur ma supplique.

C'était une merveille et j'en restai confondue. Je le félicitai avec chaleur. Il sembla heureux de mon enthousiasme mais se contenta de sourire modestement. Puis il égrena à nouveau les premières notes pour me donner la tonalité et je commençai à interpréter les paroles. Après quelques tâtonnements, quelques fausses notes, le morceau prit forme.

— Voilà, me dit-il, satisfait, il ne vous reste plus qu'à travailler votre voix afin que l'ensemble soit parfaitement harmonieux.

C'est ce que je fis toutes les nuits au grand dam d'Élise que j'empêchais de dormir.

Il me restait à trouver comment me rendre à Versailles.

Ce n'était que le début de mon plan et les difficultés surgissaient. En effet, je ne pouvais quitter Saint-Germain sans l'accord de la Reine et sans une voiture pour parcourir les quelques lieues séparant les deux châteaux. Je ne me voyais pas traverser la forêt à pied.

C'est ma mine renfrognée qui parla pour moi. Une après-dînée, alors que la Reine se promenait à l'ombre des arbres du parc avec quatre de ses filles d'honneur, elle me dit :

— Depuis le baptême de Louise Marie, vous avez perdu de votre entrain, et c'est fort dommage. Vous étiez si vive et agréable ! Est-ce le sort de votre mère qui vous préoccupe ?

Étudiant ma réponse, je gardai le silence.

Mme de Monicelli me foudroya du regard et grogna :

— Mlle de Maisonblanche ne sait plus quoi faire pour attirer l'attention de Votre Majesté.

La Reine l'arrêta en lui donnant un coup de son éventail sur l'épaule. Elle me prit par le bras et nous fîmes quelques pas pour nous éloigner du groupe.

— Voyons, Louise, confiez-vous à moi.

Je me lançai.

— J'aimerais me rendre à Versailles... pour adresser une supplique au Roi.

— C'est une excellente idée ! Pour l'heure, il est à Marly et il n'aime pas être dérangé dans ce lieu de repos où il n'invite que des intimes. Dans deux jours, il aura regagné Versailles et j'ordonnerai qu'on vous attelle une calèche.

Je lui pris la main et la baisai avec respect.

Le soir même, encouragée par Élise, j'écrivis un billet à Bertrand pour solliciter son aide dans cette entreprise. J'ignorais comment le tourner pour qu'il fût à la fois chaleureux afin qu'il comprît qu'il ne m'était pas indifférent et assez neutre pour qu'il ne s'imaginât pas que je courais me jeter dans ses bras. Élise qui, apparemment, n'en était pas à son premier poulet me dicta :

Monsieur,
Je serai mercredi après-dînée à Versailles. Il me
serait agréable de vous y rencontrer.
Louise.

C'était, je l'avoue, assez concis.

Au matin de ce fameux jour, je m'habillai de ma meilleure robe : un taffetas de soie rose et blanc avec des manches à double volant et une pièce d'estomac brodée de fleurs. Élise me coiffa, agrémentant ma chevelure de rubans dans les mêmes tons. Elle me suggéra même de piquer dans mes boucles quelques fleurs de jasmin, les fleurs préférées du Roi.

Lorsque je fus prête, elle me félicita :

— Louise, vous resplendissez ! On dirait l'une de ses divinités de la vertu qui peuplent les pastorales de M. Charpentier !

La comparaison me fit sourire. En effet, au printemps, dans le théâtre du château de Saint-Germain, j'avais interprété la déesse Flore dans la pastorale de *La Couronne de fleurs*. La Reine Marie m'avait assuré que ma fraîcheur, ma beauté et ma voix avaient fait merveille dans ce rôle.

J'espérais que le Roi serait sensible à ces attraits.

Dans la calèche qui nous conduisit, Élise et moi, à Versailles, j'étais au comble de l'excitation. Élise, elle, heureuse de cette escapade à Versailles, s'amusait de tout. En découvrant les armoiries de la famille d'Angleterre peintes sur les portières de la voiture, les charrettes, portefaix, chaises à porteurs s'écartaient pour nous laisser passer.

Cela fit beaucoup rire Élise qui, cachée derrière le rideau, me dit :

— Tous ces gens nous prennent pour des princesses anglaises...

Lorsque la calèche s'arrêta dans la cour, un laquais se précipita pour ouvrir la portière. Des courtisans curieux et étonnés se demandèrent qui pouvaient être ces charmantes demoiselles descendant d'une voiture aux armoiries anglaises.

Je n'étais pas à l'aise. Tous ces yeux braqués sur moi m'intimidaient. Il ne me serait toutefois pas venu à l'idée de rebrousser chemin. Je devais aller jusqu'au bout, même si cela me coûtait. Le salut de ma mère ne dépendait que de moi. De mon courage. Heureusement, dès que nous fûmes dans l'enceinte du château, plus personne ne fit attention à nous tant il y avait de monde, et nous nous fondîmes dans la foule.

Maintenant que j'étais dans la place, le plus dur restait à faire : interpréter ma supplique devant le Roi.

— Eh bien, lança tout à coup Élise, comment allons-nous nous y prendre pour voir le Roi ? Il n'est peut-être même plus à Versailles. Après Marly, il a sans doute filé sur Fontainebleau ou Chambord.

— À mon avis, si le Roi n'était pas là, il n'y aurait pas tant de courtisans ! risquai-je.

— Évidemment, suis-je sotte ! Mais comment l'approcher avec tous ces gens !

Je n'en avais pas la moindre idée et je m'en désolais quand, brusquement, Bertrand de Prez fut devant moi :

— Ah ! Mademoiselle de Maisonblanche ! s'exclama-t-il en s'inclinant.

Je soupirai de soulagement et je dus lui accorder mon sourire le plus avenant.

— Vous... vous êtes resplendissante, se troubla-t-il.

— Quelle chance que nous nous soyons rencontrés parmi cette foule ! lui dit Élise.

— Je vous guette depuis des heures... et j'avais engagé tout un réseau d'espions... Vous manquer aurait été le plus abominable des supplices !

Je rougis. J'espérais qu'il ne faisait pas usage de ce beau langage avec toutes les demoiselles de la Cour.

— Avez-vous décidé de parler au Roi ?

— Oui... l'attente m'était intolérable.

— L'inaction est pire que tout en effet. Le duc du Maine est charmant, mais assez inconstant, et je ne pense pas qu'il ait mis tout en œuvre pour fléchir le Roi.

— Hélas ! c'est ce que je craignais... et après tout comment lui en vouloir ? Mon cas est difficile et le duc n'a sans doute pas envie de risquer de fâcher le Roi pour moi qui ne suis rien...

— Louise ! Ne dites pas cela, je vous en prie... pour moi, vous êtes...

Une bousculade projeta le chevalier à trois pas et l'empêcha de terminer sa phrase. Inquiète, je vis tous les gens courir dans la même direction. Y avait-il le feu dans l'aile gauche du château pour qu'ils se ruent tous dans les jardins ? Dans le brouhaha, les mêmes mots revenaient : « Le Roi ! », « Le Roi ! »

— Le Roi va faire sa promenade dans le petit parc, m'expliqua Bertrand qui ajouta aussitôt : Venez, c'est le moment ou jamais !

À cette perspective, mes mains et mes jambes se mirent à trembler.

CHAPITRE

21

Élise et moi suivîmes le chevalier qui suivait la foule qui suivait le Roi.

— Le Roi aime tellement ses jardins que leur visite est assurément le bon moment pour lui parler, me suggéra le chevalier.

— C'est que... je ne veux point lui parler... je veux « lui » chanter, dis-je.

Le chevalier me considéra avec étonnement, aussi je poursuivis :

— Puisque Sa Majesté apprécie ma voix, je vais donc chanter la supplique que j'ai écrite et que M. Couperin a eu la bonté de mettre en musique.

D'étonné, le regard du chevalier devint admiratif et il me félicita :

— Voilà une excellente idée qui, j'en suis certain, atteindra son but.

Le Roi ne se déplaçait plus qu'en « roulette », une sorte de trône muni de deux grandes roues à l'arrière et d'une petite à l'avant qu'il manœuvrait comme s'il s'agissait d'un gouvernail selon la direction qu'il souhaitait prendre. Deux suisses poussaient le véhicule et le Roi pouvait, malgré ses accès de goutte, continuer la visite de ses jardins — ce qui constituait l'une de ses distractions favorites. La Cour suivait, s'arrêtant lorsque le souverain s'arrêtait, s'extasiant sur un nouveau bosquet, un nouveau parterre fleuri, un nouveau bassin, une nouvelle statue, dès que le Roi les désignait à leur admiration.

Le chevalier me conseilla d'interpréter ma supplique cachée dans le labyrinthe. Le Roi aimait beaucoup déambuler dans ses allées dont les croisements étaient ponctués par trente-neuf fontaines en plomb coloré représentant les *Fables* d'Ésope.

J'attendais le déclenchement des fontaines avec impatience et appréhension. Ce serait le signe que le monarque approchait. L'eau était rare et précieuse à Versailles et seuls les bassins que l'on pouvait apercevoir des fenêtres du château jouaient toute la journée. Les fontaines des bosquets ne fonctionnaient qu'au passage de Sa Majesté.

J'effectuai quelques vocalises pour tromper mon impatience et chauffer ma voix et lorsque les vannes s'ouvrirent, libérant l'eau qui se mit à cascader en chuintant, à se propulser vers le ciel en sifflant puis à retomber sur le plomb en crépitant, je mis ma voix au diapason et je chantai de tout mon cœur :

Ah ! Quel grand Roi de gloire et d'honneur couvert,
Quel monarque aussi puissant que Jupiter
Quel héros comblé d'immortelles vertus
Voudra bien baisser son noble regard
Vers la bergère qui se traîne à ses pieds ?
Louis, Louis, Louis.
Celui qui tient à la fois dans sa main le glaive et le
[pardon.
C'est le pardon que j'implore pour celle qui m'est
[chère
Et qui n'a eu comme grand tort que d'aimer et de
[servir
Que d'aimer et de servir.
Ah, vraiment, c'est à genoux que j'implore le Roi.

Cachée derrière une rangée d'ifs, je ne voyais ni le Roi ni les courtisans. Je terminai en accrochant la dernière note aussi haut qu'il m'était possible. J'étais à la fois satisfaite de ma prestation et angoissée par la réaction du Roi, mais seul le chuintement de l'eau meubla le silence. Il n'y avait pas un bruit, pas un murmure, pas un souffle du côté du Roi et de la Cour. Ma voix n'avait-elle pas porté dans la bonne direction ? M'avaient-ils entendue ? Le souverain était-il si furieux qu'il n'avait pas cherché à voir qui avait chanté ? Je me troublai et mes mains glacées furent agitées de tremblements. Le chevalier les prit entre les siennes pour me réconforter.

Nous entendîmes la roulette royale s'éloigner et le piétinement des gens qui la suivaient.

Les jets d'eau s'arrêtèrent. Le silence retomba.

C'était tout.

Les larmes me montèrent aux yeux. J'avais échoué.

Les premiers instants de stupeur passés, le chevalier suggéra :

— Le lieu était peut-être inopportun... Les bruits de l'eau ont sans doute couvert votre voix... Mais puisque le Roi va à la ménagerie, allons-y aussi.

J'hésitai. N'était-ce pas m'exposer à une nouvelle preuve d'indifférence ? N'allais-je pas indisposer le Roi en insistant, gâchant ainsi le maigre espoir de sauver ma mère ? D'un autre côté, s'il ne m'avait pas bien entendue... s'il n'avait pas reconnu ma voix... il était dommage d'abandonner la partie sans l'avoir jouée pleinement.

— Vous avez raison, lui répondis-je. Je n'ai rien à perdre sauf ma situation, mais cela est de si peu d'importance par rapport à ce qu'endure ma mère depuis des années !

Il me serra une nouvelle fois la main. Je commençais à m'habituer à ces marques d'intérêt... Je n'osais dire à ces gestes d'amour... Ce dernier mot me semblait trop grand, trop fort, trop beau alors que les instants que je vivais étaient si cruels. À ce moment-là, j'eus la certitude que me passer de cette tendresse si le Roi ordonnait mon enfermement dans un couvent serait au-dessus de mes forces.

Nous traversâmes le petit parc pour atteindre la ménagerie située à l'extrémité ouest du bras du Grand Canal. Fort heureusement, le chevalier connaissait bien le parc. Sans lui, Élise et moi nous nous serions perdues dans les nombreuses allées. Il faisait chaud, nous marchions d'un bon pas pour arriver avant le Roi et choisir l'emplacement le mieux approprié. Je craignais que mon teint ne s'altère, que ma coiffure ne dégringole et que ma robe ne prenne la poussière. Si par chance, le Roi s'intéressait à moi, il aurait été du plus mauvais effet de paraître devant lui rouge, échevelée et sale.

Nous nous arrêtâmes à proximité du Grand Canal et, cachés derrière une statue, nous vîmes le souverain embarquer avec le Dauphin, le duc du Maine, Mme de Maintenon et Mlle de Nantes sur une galère. La Cour suivit sur d'autres embarcations.

Il était temps de rejoindre la ménagerie. Je ne m'attardai pas à contempler les oiseaux multicolores, la girafe, le lion, le tigre, les autruches, tous ces étranges animaux venus de si loin. Élise me retint pourtant par la manche pour me faire remarquer un éléphant. Je n'imaginais pas qu'une bête si énorme pût exister. Je me souvenais des vaches que j'avais vues dans mon enfance à la campagne et qui me semblaient déjà bien grosses.

Le chevalier m'informa que le Roi ferait certainement découvrir le nouveau pensionnaire de la ménagerie du haut de la terrasse. Il s'agissait d'un tigre que M. Duguay-Trouin venait de faire livrer. Le corsaire l'avait subtilisé sur un navire anglais qu'il avait arraisonné afin de le délester de toute sa cargaison d'épices, de soierie, de bois rares. En chantant au pied de cette terrasse, ma voix porterait jusqu'au souverain.

Une fois de plus, je me cachai dans une charmille et j'attendis, la poitrine oppressée, l'arrivée du Roi. Le problème fut de choisir l'instant le plus propice. Si je chantais tandis que le Roi parlait, je faisais preuve d'une grave impolitesse... Élise fut chargée de me faire signe. Et lorsqu'elle vit que Sa Majesté avait fait admirer son tigre, évoqué ses nouveaux projets pour la ménagerie et que la Cour s'était extasiée et avait mille fois congratulé le souverain, elle agita la main et je chantai.

Mieux que la première fois, me sembla-t-il.

Ma voix portait bien.

Lorsque je me tus, j'étais plus morte que vive dans l'attente de la réaction du Roi. Il y eut d'abord un long silence que je ne sus comment interpréter, puis des murmures, des bruits de pas. Le Roi quittait-il encore la place en m'ignorant ?

Soudain, il fut devant moi.

J'eus comme un éblouissement, mais je me raidis. Ce n'était pas le moment de défaillir. Curieusement, je ne lus aucune colère dans son regard, un soupçon d'exaspération peut-être. Par contre, celui de Mme de Maintenon était si dur qu'il me transperça plus sûrement qu'une flèche.

Comme je le chantais à la fin de ma supplique, je m'agenouillai devant le Roi.

— Vous usez à merveille de votre voix, mademoiselle de Maisonblanche, lâcha-t-il.

— Un peu trop, intervint sèchement Mme de Maintenon. Importuner le Roi par deux fois n'est pas digne d'une demoiselle élevée dans la Maison Royale de Saint-Cyr.

— Allons, Madame, ne soyez pas si sévère. Cette demoiselle a du caractère et du courage... des qualités que j'apprécie...

Il se pencha légèrement vers moi et reprit plus bas :

— Et qui sont celles des Enfants de France.

Oh, cette phrase ! C'était comme du miel sur mon cœur. Le Roi ne venait-il pas de reconnaître à mots couverts que j'étais de son sang ? Je dus rougir jusqu'à la racine des cheveux... mais comme j'avais le visage baissé, j'escomptais que cela passerait inaperçu.

— Venez donc ce soir aux appartements[1], nous parlerons de votre problème, me dit le Roi.

Je remerciai en balbutiant et le souverain s'éloigna, la Cour marchant dans ses pas.

Le duc du Maine s'approcha de moi et me souffla à l'oreille :

— Je vous félicite, vous avez réussi là où j'avais échoué.

Plusieurs dames et quelques messieurs me dévisagèrent avec curiosité pour voir qui avait eu l'audace de perturber la promenade royale... Ils devaient se demander pourquoi le Roi m'avait invitée pour les appartements alors que plusieurs courtisans n'avaient ni cet honneur ni cette chance.

J'étais ivre de joie. Et dès que le cortège royal eut disparu, je tournoyai sur moi-même en chantonnant :

— Je vais parler au Roi ! Je vais parler au Roi !

1. Les soirées d'appartements ont lieu trois fois par semaine dans le grand appartement. La Cour est invitée à s'y divertir : jeux, danses, collations.

Ce qui fit rire Élise, qui me prit par la taille pour danser avec moi, et sourire Bertrand, qui nous considéra toutes les deux d'un air attendri.

Soudain je chancelai.

— Louise, qu'avez-vous ? s'inquiéta Bertrand.

— L'émotion, sans doute...

— Il n'y a pas que l'émotion, coupa Élise. Elle était si nerveuse qu'elle n'a pratiquement rien mangé depuis deux jours.

C'était la vérité. La veille, je n'avais pu boire qu'un bouillon et je n'avais pas réussi à avaler une bouchée au dîner.

— Eh bien, si vous voulez parler sans trembler devant le Roi, il faut vous sustenter, affirma Bertrand. L'auberge de *La Tour d'argent*, qui a récemment ouvert ses portes à proximité du château, nous servira quelque chose à manger.

— Une auberge ! répondis-je. Je n'y suis jamais allée.

— Je vous invite. Ce sont des endroits très gais. Pas toujours recommandables pour des demoiselles seules, mais je serai là pour vous protéger et malheur à celui qui vous manquerait de respect !

Son air sérieux nous fit à nouveau rire. Il est vrai que j'étais si heureuse d'avoir réussi à intéresser le Roi que j'avais envie de rire de tout et de rien.

J'avais faim et bien qu'il ne fût plus l'heure du dîner et pas encore celle du souper, je mangeai avec appétit le repas que l'on me servit. Bertrand, par galanterie et pour ne pas me laisser dévorer seule, mangea comme moi, et Élise, emportée par l'ambiance, fit de même. Il régnait dans la salle un tel tohu-bohu qu'il était pratiquement impossible de se parler à voix basse et comme nous ne voulions pas que tous ces gens sachent qui nous étions et ce que nous venions faire à Versailles, nous écoutions leurs conversations.

Il y avait là quelques personnes de la noblesse venues à Versailles pour solliciter une charge, une dame qui souhaitait présenter sa fille pour qu'elle devienne demoiselle d'honneur à la Cour, un négociant en vins de Bordeaux qui voulait faire découvrir au Roi une nouvelle liqueur et un marchand du Languedoc qui racontait haut et fort qu'il avait offert au Roi une nouvelle variété de figues et que Sa Majesté, qui adorait ce fruit, lui avait fait l'honneur de lui en commander pour son dîner de la semaine prochaine. À une table, je reconnus même M. Racine. Le rencontrer dans une auberge me produisit un curieux effet... comme si cet homme de théâtre exceptionnel n'était pas à sa place dans ce lieu si commun.

Après le repas, nous nous occupâmes de ma tenue.

Impossible pour moi de rentrer à Saint-Germain pour me changer. Or, ma jupe était froissée et poussiéreuse, mon teint gâté par la chaleur et l'excitation, ma coiffure défaite. Me présenter ainsi devant le Roi était impensable.

Aussi mon enthousiasme s'effondra-t-il.

— Voyons, me gronda le chevalier, ne faites pas cette tête ! Il y a tout ce qu'il faut aux grilles du château !

— Mais oui ! s'exclama Élise. Sommes-nous sottes ! Souvenez-vous toutes ces baraques aperçues lorsque nous sommes arrivées en calèche.

Bientôt, une matrone entreprit de dépoussiérer puis de repasser ma jupe tandis que j'attendais cachée derrière un paravent. Un peu plus loin, un coiffeur remit en place ma chevelure. Il me déconseilla une coiffure à la Fontange dont la mode déclinait, mais frisa mes cheveux qu'il remonta légèrement avec des rubans de soie. Le miroir qu'il me tendit me renvoya une image point trop désagréable. Élise me suggéra ensuite d'agrémenter mon décolleté d'une dentelle afin d'en changer un peu l'aspect. Un parfumeur me poudra abondamment le visage, me posa du fard sur les lèvres et les joues, me colla une mouche au coin de la lèvre et m'inonda d'essence de Nice. Cela ne me plut pas, mais je n'osai l'avouer à mon amie, prête à toutes les folies pour que je sois la plus belle.

Ma métamorphose allait-elle m'aider dans ma mission ?

CHAPITRE
22

Un peu après sept heures nous nous présentâmes aux portes du grand appartement. J'avais craint un instant que, n'étant pas des habitués et ne possédant aucun billet prouvant que nous avions été invités, les garçons bleus[1] ne nous en interdisent l'accès. Il n'en fut rien. Bertrand m'expliqua qu'aucun noble n'aurait eu l'audace d'assister à ces soirées sans y avoir été convié par le Roi de peur d'être chassé publiquement par Sa Majesté, qui avait une excellente mémoire.

Jamais je n'avais vu autant de beauté, de raffinement et de luxe. J'essayais de ne pas paraître trop

---

1. Ainsi nommés en raison de la couleur de leur habit. Ils faisaient partie d'une sorte de police intérieure aux ordres du premier valet de chambre du Roi.

éblouie, pour ne pas avoir l'air trop pauvre, mais je passai de salon en salon (et il y en avait sept !) les yeux écarquillés. Je découvris donc le mobilier d'argent, les tableaux de Véronèse, Rubens, Raphaël, les tentures brodées d'or et les milliers de bougies qui, dans des candélabres d'argent, faisaient étinceler toutes ces richesses.

Dans le salon de l'Abondance étaient dressés trois buffets pour les boissons chaudes ou fraîches, les liqueurs, les sorbets, les eaux de fruits, et dans le salon de Vénus on avait disposé des pâtes de fruits, des confitures sèches et des pyramides de citrons et d'oranges agrémentées de somptueux décors floraux.

En traversant les pièces, je surpris quelques murmures. Je suppose que les habitués devaient s'interroger à mon sujet. Mon premier réflexe fut de baisser la tête, d'essayer de devenir transparente, de ne pas exister, puisque je n'existais pas aux yeux du Roi. Et puis, je ne sais quelle curieuse voix me souffla : « Tu es fille de Roi, redresse-toi ! », ce que je fis aussitôt. Et bien qu'il en coûtât à ma modestie naturelle, je continuai à avancer à la recherche du Roi.

Il était dans le salon de Diane en train de jouer au billard.

Afin que les dames pussent suivre le divertissement favori du Roi, des estrades recouvertes de tapis de Perse à fil d'or et d'argent avaient été installées. Le tout était éclairé par quatre grands lustres de cristal et autant de chandeliers d'argent. Ne trouvant plus une place de libre et aucune dame n'ayant fait le geste de se pousser un peu pour me faire une place, j'assistai debout à la partie. Je n'y connaissais rien et je n'avais d'yeux que pour le Roi, ignorant les boules. À un moment pourtant, Sa Majesté dut gagner car les dames applaudirent. Le souverain, souriant, leva enfin la tête et m'aperçut. Il se dirigea vers moi et me dit :

— Ah, mademoiselle de Maisonblanche, venez, nous avons à parler.

Je m'inclinai et le suivis. Les mêmes murmures parcoururent les gradins et d'autres encore lorsque le Roi me précéda dans le salon d'Apollon. Le Grand Dauphin, qui vint lui proposer une partie de lansquenet[1], s'entendit répondre :

— Plus tard, monsieur, plus tard.

Ce qui fit s'amplifier les murmures.

Dans le salon d'Apollon se dressait, sur une estrade couverte d'un tapis, un trône d'argent sculpté de huit pieds de haut.

Cette salle me glaça. Elle représentait le pouvoir absolu... Je me sentis faible et vulnérable et certainement pas la fille du dieu vivant capable de

1. Jeu de cartes.

s'asseoir sur ce trône. Dans un signe de faiblesse, je portai une main à mon front. Le Roi avait-il choisi cette pièce pour m'impressionner ? Pour bien me signifier qu'il était le seul à commander, à décider de ma destinée et de celle de ma mère ?

Mon esprit était en déroute. J'avais été folle de penser que ma voix et ma modeste personne allaient influencer le Roi. Personne n'était capable d'agir sur lui. Qu'allait-il advenir de moi à présent ?

Le Roi ne monta pas sur son trône. Il lui tourna le dos et me dit :

— Vous possédez, mademoiselle, des qualités de cœur, un certain sang-froid et une grande persévérance...

Je rougis. C'était la deuxième fois que le Roi me faisait cette sorte de compliment. Il poursuivit :

— S'y ajoute votre exceptionnelle voix et votre modestie... Tout cela fait que je suis heureux de vous connaître.

Le Roi, heureux de me connaître ! Mon cœur aurait explosé de joie si je ne l'avais contenu à deux mains.

— Je goûte fort la musique. Je joue moi-même de la guitare. En jouez-vous ?

— Non, Votre Majesté. J'ai appris le violon.

— Je préfère la guitare. Le son en est plus gai, mais il est de bon ton d'aimer le violon et le luth.

Le Roi me confiait ses goûts ! C'était à peine croyable mais il me sembla que cela créait entre nous une sorte de complicité. Il garda un instant le silence puis reprit :

— J'ai réfléchi à votre... demande et je vais y accéder dans le souci de récompenser votre courage.

Je retins le cri qui montait à ma gorge. Je me jetai une fois encore à ses genoux, les larmes inondèrent mes joues et, oubliant les formules protocolaires, je répétai :

— Merci... merci... merci...

Le Roi me releva et m'annonça :

— Mme Desœillets quittera Vincennes dès demain. Cependant, elle ne devra plus paraître à la Cour. Je lui attribuerai une pension et elle se retirera en province. Je ne veux plus entendre parler d'elle. Jamais. Ce que je fais, je le fais pour vous, mademoiselle de Maisonblanche.

— Sire... je vous en serai éternellement reconnaissante.

— Eh bien, lança le Roi sur un ton plus badin, comme s'il voulait chasser des souvenirs trop lourds, puisque cette affaire est classée, n'avez-vous point une requête à me formuler en ce qui vous concerne ?

— Oh, non, Votre Altesse... vous venez d'exaucer mon seul souhait..., me défendis-je.

Mais soudain, je pensai à Joseph... ce qui m'arrivait d'heureux je le lui devais en partie. C'était lui qui m'avait transmis son goût pour le chant et qui m'en avait appris les rudiments. Je me doutais bien qu'il n'avait pas eu ma chance et qu'il devait survivre en travaillant durement pour un fermier avare. Le moment n'était-il pas venu de payer ma dette ? Alors j'enchaînai :

— Si j'osais... j'aimerais venir en aide à mon frère de lait. C'est lui qui m'a fait découvrir le chant...

— Alors, effectivement, nous lui devons le plaisir de vous entendre. Que pensez-vous, pour lui, d'une place de jardinier à Versailles ?

J'étais tellement étonnée de voir avec quelle facilité les problèmes disparaissaient dès que je les évoquais devant le Roi qu'une nouvelle fois j'en fus réduite à balbutier :

— Votre Majesté est si bonne que... enfin... il en sera très flatté et sera un serviteur zélé et fidèle...

— Voilà donc une autre affaire réglée. Il suffira qu'il se présente à M. Jean-Baptiste de La Quintinie, le jardinier en charge du potager.

— Je... je vous remercie... jamais je n'aurais pu imaginer que...

Je ne terminai pas ma phrase. Je venais d'oublier que je parlais au Roi... et il aurait été mal venu de lui exposer mes sentiments... Pourtant le souverain paraissait particulièrement détendu. Il me sourit même et reprit :

— Eh bien, Louise, puisque vous avez la bienséance de ne rien demander pour vous, je vais tout de même vous montrer que vous ne m'êtes pas indifférente. Et puisque votre voix a su me séduire, vous aurez maintenant une place à la Musique de la Chambre où votre voix de soprano fera merveille.

J'allais de surprise en surprise et de bonheur en bonheur. Peu de femmes étaient admises dans la Musique de la Chambre, en être était un véritable privilège.

J'inclinai la tête et remerciai une fois encore ce père qui, tout en ne voulant pas admettre sa paternité, me donnait de plus en plus de signes, sinon d'affection, du moins d'intérêt.

Je pensais le moment venu de me retirer. J'avais obtenu beaucoup plus que ce que j'escomptais et j'avais hâte de quitter ces lieux qui m'oppressaient pour savourer dans le calme la fin d'un cauchemar. J'attendais donc que le Roi me donnât l'ordre de me retirer.

Le silence s'éternisait. J'osai lever les yeux sur lui. Il me regardait avec, me sembla-t-il, beaucoup de bienveillance.

— Il faudra que je demande à Mme de Maintenon de vous choisir un bon mari... un marquis ou un duc qui vous mettra à l'abri du besoin.

Mon sang se glaça d'un coup. Je pensai aux conversations que j'avais eues avec Hortense, Charlotte et Isabeau à Saint-Cyr lorsque nous craignions que Madame ne nous mariât à l'un des vieux barbons venus nous admirer dans *Esther*. Je ne pus retenir mon exclamation :

— Oh, non, Majesté, je ne veux ni d'un marquis ni d'un duc... mais...

Je me troublai. Comment avouer mes sentiments au Roi ? Contrairement à toute attente, le souverain ne se fâcha pas. Il me comprit à demi-mot.

— Avez-vous déjà un prétendant ?

— Oui, soufflai-je en rougissant... M. Bertrand de Prez, chevalier et seigneur de Montfort.

— Sa famille ne s'est pas illustrée de la meilleure façon, mais il semble que leur fils se soit racheté puisqu'il est au service du duc du Maine... Alors, s'il se déclare, je vous donnerai ma bénédiction.

La bénédiction du Roi ! C'est-à-dire la bénédiction de mon père ! Je n'en croyais pas mes oreilles !

Le Roi ne paraissait pas s'apercevoir des bonheurs qu'il me distillait les uns après les autres. Le seul qui me manquait encore était qu'il me reconnaisse comme sa fille... mais c'était impensable.

Tout à coup, il plongea la main dans une poche de son habit, en sortit un objet et me le tendit. C'était une broche de devant dont le centre était un énorme rubis rouge, taillé en cœur, entouré de diamants.

— Voici le cadeau de votre Roi pour agrémenter votre tenue, me dit-il.

Il me parut ému.

Moi, je me sentis défaillir car il me sembla bien qu'à la place de « voici le cadeau de votre Roi », il fallait que j'entende : « Voici le cadeau de votre père. » En tout cas, c'est ce que je me crus autorisée à traduire. Cette broche en forme de cœur ne pouvait pas être un hasard.

Je remerciai d'une voix noyée de larmes, puis je fixai le bijou à l'échancrure de mon corsage, comme le voulait la mode du moment.

— Venez, me dit-il, allons rejoindre la Cour.

Je m'affolai. Comment devais-je me comporter ? Comment devais-je marcher avec le Roi... à combien de pas devais-je me tenir derrière lui ? J'ignorais tout de l'étiquette.

Il fit claquer sa canne sur le sol et la porte de la salle s'ouvrit devant lui. Il s'avança parmi les courtisans qui jouaient, mangeaient, buvaient. Je le suivis et sentis le poids des regards sur moi. J'avais l'impression que la broche irradiait et que tous la remarquaient.

Le Roi s'arrêta devant Bertrand de Prez puis il se retourna, me prit la main et la posa sur celle du chevalier.

— Monsieur, je vous confie Louise de Maison-blanche, dit-il, faites son bonheur, c'est tout ce que je vous demande.

Bertrand, pris au dépourvu, inclina la tête en signe d'assentiment, puis il me sourit. Alors le Roi ajouta :

— Le bal va commencer, je vous laisse vous y divertir, menuets et contredanses ne sont plus pour moi.

Je dansais le menuet avec mon futur époux, mon père me regardait, ma mère allait sortir de prison, j'allais chanter dans la Musique de la Chambre et Joseph rejoindrait bientôt les jardiniers de Versailles.

J'étais au comble du bonheur.

Je souhaitais à mes amies de Saint-Cyr, Charlotte, Hortense et Isabeau un sort aussi enviable que le mien.

Charlotte que j'avais aperçue à Versailles m'avait semblée soucieuse et j'espérais que ce n'était point à cause de sa religion huguenote ou de son attachement à son cousin François.

Cette pensée vint ternir ma joie et je me promis de chercher à avoir de leurs nouvelles afin que, comme nous en avions prêté serment, notre amitié perdure après avoir quitté la maison de Saint-Louis.

Retrouvez la suite des aventures des Colombes dans :

Charlotte, la rebelle.

L 'illustratrice

Aline Bureau est née à l'Orléans en 1971. Elle a étudié
le graphisme à l'école Estienne puis la gravure aux
Arts décoratifs à Paris. C'est dans l'illustration qu'elle
s'est lancée en travaillant d'abord pour la presse
et la publicité et depuis peu pour l'édition jeunesse.

L'auteur

En un quart de siècle, Anne-Marie Desplat-Duc a publié une soixantaine de romans dont beaucoup ont été primés. Rien de surprenant quand on sait que sa passion est l'écriture et qu'elle y consacre tout son temps. Comme elle aime les enfants, c'est pour eux qu'elle écrit des histoires qui finissent bien. Vous pouvez toutes les découvrir sur son site Internet : **http://a.desplatduc.free.fr**

CHEZ FLAMMARION, ELLE A DÉJÀ PUBLIÉ :

- **Dans la collection « Premiers romans »**
  Les Héros du 18 :
  1. *Un mystérieux incendiaire*
  2. *Prisonniers des flammes*
  3. *Déluge sur la ville*
  4. *Les chiens en mission*

- **Dans la collection « Castor Poche » :**
  - *Félix Têtedeveau*
  - *Une formule magicatastrophique*

- **Dans la collection « Flammarion Jeunesse » :**
  - *Un héros pas comme les autres*
  - *Ton amie pour la vie*

- **En grands formats :**
  Marie-Anne, fille du roi :
  1. *Premier bal à Versailles*
  2. *Un traître à Versailles*
  3. *Le secret de la lavandière*

  - *L'Enfance du Soleil*

Les Colombes du Roi-Soleil

Des jeunes filles rêvent d'aventure
et de succès. Élevées aux portes
de Versailles, les Colombes du Roi-Soleil
volent vers leur destin...

Partagez le destin
des Colombes du Roi-Soleil
avec huit tomes
parus en grand format

Les Comédiennes
de Monsieur Racine

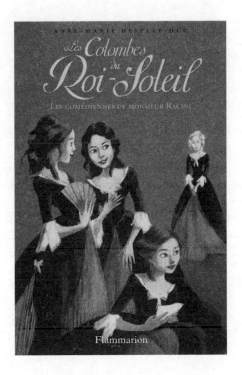

Le célèbre Monsieur Racine écrit une pièce de théâtre pour les élèves de madame de Maintenon, les Colombes du Roi-Soleil. L'occasion idéale pour s'illustrer et, qui sait, être remarquée par le Roi. L'excitation est à son comble parmi les jeunes filles. Y aura-t-il un rôle pour chacune d'entre elles ?

LE SECRET DE LOUISE

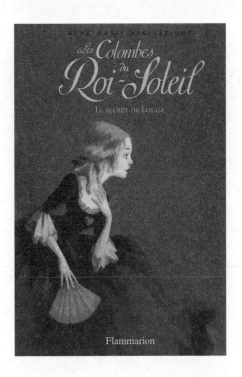

$\mathscr{G}$râce à ses talents de chanteuse, Louise est remarquée par la Reine d'Angleterre, qui lui demande de devenir sa demoiselle d'honneur. Elle quitte à regret Saint-Cyr et ses amies. Mais, très vite, elle fait des rencontres passionnantes et des découvertes qui vont l'aider à lever le voile sur le mystère qui entoure sa naissance...

CHARLOTTE LA REBELLE

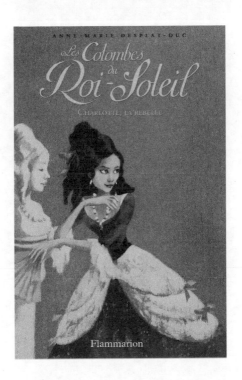

*C*harlotte décide de s'enfuir de Saint-Cyr et de quitter cette existence rangée qui ne lui convient pas. Une nouvelle vie l'attend à la cour de Versailles, une vie de fête, de liverté, de joie. Une découverte vient pourtant troubler son bonheur : son fiancé, François, a disparu. Charlotte ne s'avoue pas vaincue. Elle est prête à tout pour le retrouver !

LA PROMESSE D'HORTENSE

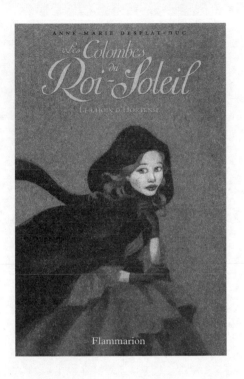

Hortense a fait une promesse à son amie Isabeau :
rester avec elle à Saint-Cyr jusqu'à leur vingt ans.
Mais Simon, l'homme qu'elle aime, ne supporte plus
de vivre loin d'elle. Hortense accepte de s'enfuir avec lui.
Même si elle sait qu'elle risque de provoquer
le courroux du roi...

LE RÊVE D'ISABEAU

Depuis que ses amies ont quitté Saint-Cyr, Isabeau rêve de réaliser, à son tour, son vœu le plus cher : devenir maîtresse dans la prestigieuse institution de Madame de Maintenon. Elle doit, pour cela, avoir une conduite irréprochable. Or, elle se retrouve, bien malgré elle, au cœur d'une affaire d'empoisonnement. Isabeau voit son rêve s'éloigner...

ÉLÉONORE ET L'ALCHIMISTE

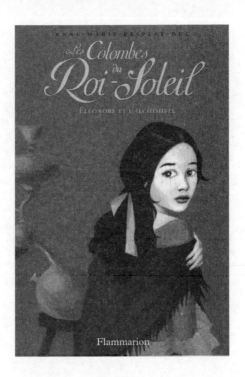

*P*romise contre son gré à un baron, Eléonore quitte
Saint-Cyr pour la Saxe. Si elle accepte ce sacrifice,
c'est parce qu'il a promis d'aider ses sœurs dès qu'ils seront
mariés. Hélas, rien ne se passe comme prévu ! Eléonore
s'éprend de Johann, un jeune alchimiste qui recherche
le secret de la transmutation du plomb en or. Elle décide
de tout faire pour l'aider à réaliser son rêve !

Un corsaire nommé Henriette

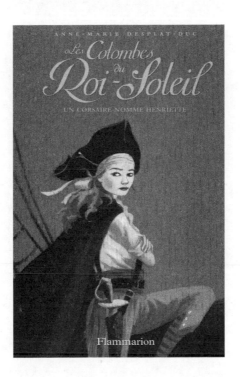

$\mathcal{O}$riginaire de Saint-Malo, Henriette est un garçon manqué. Amoureuse du vent et de la mer, elle ne rêve que de bateaux, au grand désespoir de sa mère.
A Saint-Cyr, elle se lie d'amitié avec ses compagnes de fortune, mais elle n'est pas faite pour l'étude, le calme, ni la prière. Elle décide donc de reprendre sa liberté et d'aller au-devant de l'aventure pour réaliser son destin...

GERTRUDE
ET LE NOUVEAU MONDE

*P*our sauver son amitié avec Anne, Gertrude a commis une lourde faute et purge sa peine en prison. Mais une opportunité s'offre à elle : partir pour le Nouveau Monde. Là-bas, elle espère retrouver enfin la liberté et le bonheur. Pourtant, elle ne se doute pas des obstacles qui jalonneront sa nouvelle existence...

Deux coffrets cadeau sont disponibles

❧TOMES
1, 2 et 3

❧TOMES
4, 5 et 6

l'Enfance du Soleil

ANNE-MARIE ✦ DESPLAT-DUC

« On a beaucoup écrit sur moi, ou plutôt sur le grand roi que je suis devenu, le Roi-Soleil. Mais l'enfant, qui en a parlé ? Ma jeunesse a été faite de joies, de peines, d'amours, d'amitiés et de trahisons. L'absence d'un père, les tourments d'un pays en guerre, l'affection d'un frère et d'une mère, l'amour de la belle Marie Mancini... Qui, mieux que moi, saurait les raconter ? J'ai décidé de prendre la plume. Et s'il se peut que je mélange un peu les dates, pour les sentiments, en revanche, je n'ai rien oublié. »

MARIE-ANNE
FILLE DU ROI

DÉCOUVREZ LA NOUVELLE SÉRIE
DE ANNE-MARIE DESPLAT-DUC

1674.

Marie-Anne, élevée loin de la cour, apprend qu'elle est
la fille du Roi Soleil. Prévenue des dangers d'une vie
fastueuse, Marie-Anne s'apprête à découvrir Versailles
et à faire son entrée dans la lumière.

Soudain, tous les regards se tournent vers elle...

🕊 Retrouve tout l'univers de la série des *Colombes du Roi Soleil* en créant des accessoires de rêve : gants, éventail doré, cape, loup, carnet secret, broche...

🕊 Toutes les créations sont photographiées et illustrées étape par étape pour un résultat garanti !

🕊 En cadeau : du matériel pour réaliser un superbe loup.

Imprimé à Barcelone par:

Dépôt légal : juin 2010
N° d'édition : L.01EJEN000327.C006
Loi n°49-956 du 16 juillet 1949
sur les publications destinées à la jeunesse